TEMAS DE ESPAÑA

Sección de Clásicos

a cargo de
José María Díez Borque

125

TEATRO MEDIEVAL CASTELLANO

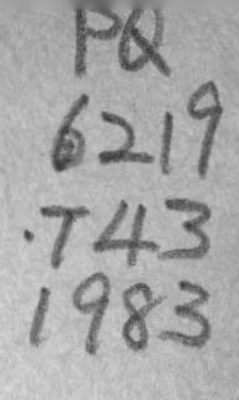

TEATRO MEDIEVAL CASTELLANO

Estudio preliminar,
edición y notas
de
RONALD E. SURTZ

taurus

Cubierta
de
ROBERTO TURÉGANO

Primera edición: marzo de 1983
Reimpresión: octubre de 1983

Príncipe de Vergara, 81, 1.º - MADRID-6
ISBN: 84-306-4125-4
Depósito legal: M. 33.526.—1983
PRINTED IN SPAIN

A mi hija Anamaría

ESTUDIO PRELIMINAR*

1. Introducción

Si en cierto momento algunos críticos, en vista de la escasez de textos teatrales procedentes de la Edad Media castellana, postularon toda una tradición teatral perdida, otros estudiosos, frente al mismo fenómeno, han interpretado la cuestión del modo más literal posible, alegando la falta casi total de actividad dramática en la Castilla medieval[1]. Las investigaciones de Richard B. Donovan parecen dar la razón al segundo grupo de críticos en cuanto al teatro

---

* En este «Estudio preliminar» voy a centrarme en el análisis individual de las obras editadas (aquellas más puramente dramatúrgicas, como explico después y en «Criterios de esta edición»). Reduzco a lo esencial e imprescindible el planteamiento de los problemas generales del teatro medieval castellano. Son los textos teatrales conservados los que guían mi introducción.

[1] El más intransigente de este segundo grupo de críticos es Humberto López Morales. En su *Tradición y creación en los orígenes del teatro castellano*, Madrid, Ediciones Alcalá, 1968, pp. 41-87, además de exponer las propias nociones, discute las teorías de los que inventaron para Castilla una tradición dramática análoga a la de otros países europeos.

litúrgico [2]. El examen de los manuscritos del tipo que en el resto de Europa normalmente contienen dramas litúrgicos dio por resultado el hallazgo de sólo media docena de textos. En la mayoría de los casos, dichos textos habían sido copiados de libros litúrgicos catalanes o extrapeninsulares. Cabe concluir, pues, que el teatro litúrgico, sobre todo en latín, era a lo más un fenómeno esporádico en la Castilla medieval.

Lo mismo puede decirse del teatro vernáculo antes del siglo XV. A juzgar por los textos conservados, y aparte del caso del *Auto de los Reyes Magos,* del siglo XII, sólo se encuentran textos dramáticos en castellano a partir de comienzos del siglo XV [3]. Los estudios más recientes vienen a confirmar esta situa-

---

[2] Para las conclusiones de DONOVAN, véase su *The Liturgical Drama in Medieval Spain,* Toronto, Pontifical Institute of Mediaeval Studies, 1958, pp. 67-73. Los tropos recogidos por Donovan no muestran la importancia del teatro litúrgico en latín en Castilla. No conocemos todavía los resultados de la investigación de V. García de la Concha en este sentido.

[3] La conocida ley 35 del título VI de la *Primera Partida* (1256-65) de Alfonso X ofrece solamente un testimonio ambiguo sobre la existencia de representaciones teatrales en la época del rey sabio. Se puede demostrar que la ley es un calco bastante fiel de un decreto de Inocencio III y de una glosa sobre dicho decreto. Para los textos del decreto y su glosa, véase Karl YOUNG, *The Drama of the Medieval Church,* Oxford, Clarendon Press, 1933, II, pp. 416-417.

Junto al de Alfonso X, también válido, como otros, para el problema del teatro profano, suelen citarse otros testimonios anteriores al siglo XV, como prohibiciones de los Concilios de Valladolid (1228), Toledo (1324), un pasaje de Don Juan Manuel. Y para el siglo XV: Concilio de Aranda (1473), un pasaje del *Arcipreste de Talavera* y los *Hechos del Condestable Don Miguel Lucas de Iranzo,* pero para esta época ya hay testimonios escritos.

Discutible es el valor testimonial y la fechación de los

ción. Se ha descubierto una breve *Ordo sibillarum* en un manuscrito conservado en Córdoba de fines del siglo XIV o comienzos del siglo XV [4]. Las investigaciones de Carmen Torroja Menéndez y María Rivas Palá en el archivo de la Catedral de Toledo han revelado que, aunque la fiesta del Corpus Christi se celebraba en Toledo desde el último tercio del siglo XIV, sólo se representaban autos dramáticos como elemento de las festividades a partir del último tercio del siglo XV [5].

Todo esto parece indicar que el teatro vernáculo castellano es un fenómeno principalmente del siglo XV. ¿Será otro caso de los frutos tardíos de la literatura castellana? [6]. ¿Por qué no se desarrolló el teatro en Castilla como en Cataluña y el resto de Europa? Se puede aventurar una respuesta basada en la función del drama en la sociedad medieval. Nacido de la liturgia, el teatro sacro medieval nunca pierde su aire de acto de fe. Más que un instrumento de enseñanza, el drama medieval se concibe como un medio de estimular la piedad de los fieles. La *Primera Partida* de Alfonso X menciona ciertas representaciones «que mueven a los omnes a fazer bien e a aver devoción

---

datos aducidos por F. Fernández Vallejo, pero sobre ello trato en el apartado 3, «El teatro en Toledo», y véanse las notas 4 y 5.

[4] José LÓPEZ YEPES, «Una *Representación de las sibilas* y un *Planctus Passionis* en el Ms. 80 de la Catedral de Córdoba», *Revista de Archivos, Bibliotecas y Museos,* LXXX (1977), pp. 545-568.

[5] Carmen TORROJA MENÉNDEZ y María RIVAS PALÁ, *Teatro en Toledo en el siglo XV: «Auto de la Pasión» de Alonso del Campo, Boletín de la Real Academia Española,* anejo XXXV, Madrid, 1977, pp. 11-74.

[6] Para el término «frutos tardíos», véase Ramón MENÉNDEZ PIDAL, *Los españoles en la literatura,* Buenos Aires, Espasa-Calpe Argentina, 1960, pp. 138-141.

en la fe»[7]. El teatro medieval afirma la identidad de los actores y espectadores como cristianos fieles reunidos en la celebración de un acto/auto de fe. Se podría argüir que, dadas las condiciones especiales de la Castilla medieval, la representación teatral resultaba una acción superflua. Envueltos en la lucha secular contra los moros, los castellanos de la Alta Edad Media sabían quiénes eran sin la necesidad de definirse como cristianos mediante el teatro sacro. Pasado el peligro musulmán y estancada la Reconquista, la Castilla de la Baja Edad Media se vio envuelta en guerras civiles o conflictos entre reinos cristianos peninsulares. Se trata más o menos de la época a la que se remontan las primeras referencias a representaciones teatrales y los primeros textos conservados. El calamitoso siglo XV ve, pues, una verdadera explosión de actividad teatral en Castilla.

Y luego, cuando a fines del siglo parecen solucionadas de modo definitivo tanto la amenaza musulmana como la presencia judía, el problema de los conversos viene a trastornar otra vez la identidad religiosa del castellano. De pronto hay como dos categorías de cristianos, si bien iguales ante Dios, ante los hombres no. Es el momento en el que surgen las obras dramáticas de Juan del Encina, Lucas Fernández y Gil Vicente. Se trata de un nuevo rumbo en la historia del teatro castellano. Aunque el drama sacro medieval se prolonga a lo largo del siglo XVI (hasta el *Códice de autos viejos,* por ejemplo), el teatro de la llamada escuela salmantina es otra cosa. En vez de re-presentar de un modo mimético los episodios de la historia sagrada, las obras dramáticas de En-

---

[7] ALFONSO X EL SABIO, *Primera Partida (Manuscrito Add. 20.787 del British Museum),* ed. Juan Antonio ARIAS BONET, Universidad de Valladolid, 1975, p. 161. Se ha modernizado ligeramente la citación.

cina y Fernández presentan los hechos de un modo oblicuo, sobre todo mediante la narración. Los personajes del drama no están para representar un episodio evangélico, sino para reaccionar a tal episodio. Lo que le interesa al dramaturgo es interpretar el mensaje evangélico de un modo que se aplique a las nuevas circunstancias del angustiado existir castellano de fines del siglo XV y comienzos del XVI. Se trata de un teatro didáctico que busca proporcionar una interpretación de la historia sagrada que cuadre con las nuevas realidades sociales y religiosas de su momento histórico. El teatro de Encina y Fernández representa una discontinuidad frente a la tradición dramática medieval, y, por lo tanto, queda excluido de esta antología. Veamos ahora por separado cada una de las obras que sí integran el cuerpo del teatro medieval castellano.

No entro en el problema del llamado teatro profano, porque, como he dicho, centro mi estudio en el análisis de los textos que han llegado hasta nosotros, reduciendo al máximo las referencias a problemas generales del teatro medieval castellano. La inexistencia de textos de teatro profano anteriores al siglo XV —lo que obliga a extraer datos dudosos de los testimonios que he citado en nota— y la difícil separación entre prácticas festivas, carnavalescas o diversiones populares y palaciegas mezcladas, me inducen a no tratar por extenso estos aspectos, aunque sobre ello vuelvo más adelante; tampoco me ocupo del problema del entremés.

2. «Auto de los Reyes Magos»

El *Auto de los Reyes Magos* se copió en unas hojas dejadas en blanco al final de un manuscrito que contiene dos obras de teología exegética en latín. Por lo tanto, es ejemplo típico del modo casi fortuito en el que se ha conservado la mayoría de las muestras que poseemos actualmente del teatro vernáculo medieval, pues su lengua vulgar impedía que se copiara en los manuscritos litúrgicos que normalmente acogían el teatro sacro en latín. La letra del manuscrito parece ser del siglo XIII, mientras que el estudio del lenguaje sugiere mayor antigüedad. Menéndez Pidal, quien dio el título *Auto de los Reyes Magos* a la obra, cree que se compuso hacia 1150 [8]. El estudio lingüístico del texto ha dado lugar a varias hipótesis sobre el origen de su anónimo autor. Sin llegar a ninguna conclusión definitiva, se ha sugerido que fue gascón, mozárabe o catalán [9]. Dichas hipó-

---

[8] Ramón MENÉNDEZ PIDAL, «*Cantar de Mio Cid*»: *Texto, gramática y vocabulario,* I, Madrid, Espasa-Calpe, 1964^{4}, pp. 144-145. Manuel SITO ALBA, sin embargo, supone una fecha más tardía, cerca de fines del siglo XII. Se basa en el hecho de que había una renovación de interés en los Reyes Magos en el último tercio del siglo XII motivada por el descubrimiento de los supuestos restos mortales de los Reyes en Milán en 1158 y luego su entierro en Colonia en 1164. Véase su «La teatralità seconda e la struttura radiale nel teatro religioso spagnolo del medioevo: la *Representación de los Reyes Magos*», en *Atti* del V Convegno Internazionale del Centro di Studi sul Teatro Medievale e Rinascimentale sul tema *Le laudi drammatiche umbre delle origini,* Viterbo, 1981 (en prensa).

[9] Véanse Rafael LAPESA, «Sobre el *Auto de los Reyes Magos:* sus rimas anómalas y el posible origen de su autor», en el *Homenaje a Fritz Krüger,* II, Mendoza, Universidad Nacional de Cuyo, 1954, reimpreso en *De la Edad Media a nuestros días,* Madrid, Gredos, 1967, pp. 37-47; J. M. SOLA-SOLÉ, «El *Auto de los Reyes Magos:* ¿impacto gascón o mozárabe?», *Romance Philology,* XXIX (1975-76), pp. 20-27, y Maxim P. A. M. KERKHOF, «Algunos datos en pro del origen catalán del autor del *Auto de los Reyes Magos*», *Bulletin Hispanique,* LXXXI (1979), pp. 281-288.

tesis sobre la nacionalidad del autor de la obra reflejan la peculiar situación cultural de Toledo en el siglo XII, cuando convivían en la ciudad imperial mozárabes, francos (franceses y catalanes) y castellanos.

Es obvio que en términos generales el *Auto* se inspira en el relato evangélico de San Mateo, 2, 1-12. No tiene ninguna relación directa con los dramas litúrgicos en latín, que escenifican la Epifanía. Al contrario, el *Auto* se destaca por ciertas peculiaridades que lo alejan del teatro litúrgico: los tres Magos se presentan en soliloquios independientes, dos de los Magos se encuentran antes de encontrarse con el tercero, Herodes expresa su rabia en un monólogo y riñen los sabios de Herodes. Los tres primeros de estos motivos ocurren también en dramas vernáculos no castellanos, pero dichas obras son posteriores al *Auto* castellano [10]. El *Auto* es único en escenificar la disputa entre los sabios de Herodes. Dicha riña cierra la obra y se ha creído que el texto es incompleto, pero Hook y Deyermond han sugerido que el *Auto* sí es completo y que el final abrupto obedece a los fines artísticos del autor [11].

El *Auto de los Reyes Magos* se distingue también de otras obras teatrales medievales inspiradas en la Epifanía por su tratamiento peculiar del motivo de los tres regalos. Según la interpretación tradicional,

---

[10] Para la comparación del *Auto de los Reyes Magos* y otros dramas medievales basados en el tema de la Epifanía, véase Winifred STURDEVANT, *The «Misterio de los Reyes Magos»: Its Position in the Development of the Mediaeval Legend of the Three Kings,* Baltimore-París, The Johns Hopkins University Press y Presses Universitaires de France, 1927, pp. 46-73.

[11] Alan DEYERMOND y David HOOK, «El problema de la terminación del *Auto de los Reyes Magos*», *Anuario de Estudios Medievales* (en prensa).

el oro simboliza la naturaleza real de Cristo, el incienso su naturaleza divina y la mirra su naturaleza humana y, por lo tanto, mortal. Los Magos ofrecen sus presentes como símbolo de su creencia en la triple naturaleza de Cristo. A diferencia de esa interpretación tradicional, en el *Auto* castellano los Magos piensan ofrecer sus regalos para poner a prueba la divinidad del Niño: «si fure rey de terra, el oro querá; / si fure omne mortal, la mira tomará; / si rey celestrial, estos dos dexará, / tomará el encenso que l' pertenecerá». Esta peculiaridad solamente se encuentra en un solo versículo de un himno del siglo XII y en ciertos poemas narrativos franceses que tratan de la infancia de Cristo (Sturdevant, pp. 42-44). Pero en los poemas franceses el motivo carece de fundamento psicológico porque los Magos se deciden a ofrecer los regalos como una prueba después de expresar su fe en la verdadera naturaleza del Niño. En cambio, en el *Auto de los Reyes Magos* la decisión de hacer la prueba ocurre como resultado lógico de las dudas ya expresadas por los tres Magos. Dicha motivación psicológica revela una clara conciencia de lo teatral por parte del anónimo autor. Incluso hay una gradación en el escepticismo de los Magos. Al comienzo de la obra, Gaspar y Melchor quieren observar la estrella otra noche antes de convencerse del nacimiento del Mesías. Baltasar la observa tres noches más antes de dejarse convencer.

La actitud escéptica pero al fin creyente que manifiestan los Magos contrasta con el escepticismo más cerrado de Herodes. Este no puede imaginar a otro rey más poderoso que él. Solicita el parecer de sus sabios, quienes no logran ponerse de acuerdo. En un momento de iluminación parcial el segundo rabí parece vislumbrar que hay una verdad más allá de lo que pueden comprender. Se ha observado que de este modo el anónimo autor quiso oponer el orden antiguo del Viejo Testamento al orden nuevo de Cristo. La ceguedad de Herodes no le permite concebir a otro rey más alto que él mismo. La ceguedad de los sabios no les permite reconocer a Cristo como el Mesías prometido por las profecías del Antiguo Testamento. Por lo tanto, el *Auto* opone los Magos gentiles y al final creyentes a los judíos ciegos. Desde luego, tal actitud polémica cobra un significado especial en el contexto histórico del Toledo del siglo XII en que convivían cristianos, judíos y musulmanes.

El anónimo autor del *Auto de los Reyes Magos* dramtiza una historia archiconocida. Todo el mundo sabe el argumento del episodio evangélico. El arte del dramaturgo consiste en rellenar la armazón tradicional proporcionada por San Mateo. Donde se calla el texto escriturario, el autor puede improvisar episodios y personajes según lo probable y lo conocido. Así, se ha comentado cómo la corte del rey Herodes se parece a la corte de un monarca medieval. Pero el escepticismo de los Magos y el motivo de los regalos como una prueba trastornan el tono de celebración que se esperaría si se tratara de un drama litúrgico. El *Auto de los Reyes Magos* deja de ser una acción ritual para acercarse a una representación mimética. En esto el anónimo dramaturgo revela a cada paso su conciencia de lo teatral en el sentido moderno de la palabra.

La preocupación artística del autor se manifiesta también en la versificación del *Auto*. Aurelio M. Espinosa divide la obra en cinco secciones de acuerdo con los cambios de metro [12]. Aunque cada sección tie-

---

[12] «Notes on the Versification of *El misterio de los Reyes Magos*», *Romanic Review,* VI (1915), p. 390.

ne irregularidades métricas, siempre predomina un determinado tipo de verso. Los tres monólogos paralelos de los tres Magos constituyen una unidad en la que predomina el eneasílabo. Tal verso corto conviene a las dudas y vacilaciones que expresan los Magos. El encuentro de los Magos y su plan para probar la divinidad del Niño se versifican en alejandrinos, forma más pausada que cuadra bien con tal momento de resolución. Los alejandrinos siguen en las fórmulas de cortesía que inician la entrevista con Herodes, para más tarde dar lugar a heptasílabos (verso corto de mayor rapidez) cuando se discute la identidad del rey que acaba de nacer. El monólogo de Herodes se sirve también de los heptasílabos, verso cuya velocidad sugiere la agitación y el desconcierto del rey judío. En la escena última, que trata de la confusión de los sabios de Herodes, predomina el eneasílabo, verso ya utilizado al principio de la obra por los Magos para expresar las propias dudas. Desde luego, el eco de los eneasílabos iniciales es irónico, pues la incertidumbre de los Magos los lleva a buscar al Niño mientras que, aparte del momento de iluminación parcial del segundo rabí, los sabios judíos no llegan a salir de su ignorancia espiritual.

Además de su evidente interés para el estudio del teatro castellano, el *Auto de los Reyes Magos* es también importante para la historia del teatro europeo. Es la única obra teatral del siglo XII compuesta enteramente en una lengua vernácula. Es también el drama más antiguo basado en el tema de la Epifanía que se ha conservado en lengua vulgar. Si Sturdevant tiene razón al suponer que el *Auto* pudo inspirarse en obras dramáticas francesas compuestas en lengua vernácula, pero perdidas actualmente, esto quiere decir que el teatro en antiguo francés es mucho más antiguo de lo que se ha creído (Donovan, p. 72).

El significado del *Auto de los Reyes Magos* dentro de la historia del teatro castellano sigue preocupando a la crítica. ¿Es el único supérstite de toda una tradición vernácula perdida? Si esto es cierto, y dado que apenas se arraigó en Castilla el teatro litúrgico en latín, se puede concluir que el teatro castellano nació en el vernáculo. Castilla sería una anomalía porque apenas se dio la coexistencia del teatro latino y el teatro vernáculo como en otros países. Pero todo esto no es más que una hipótesis. Cabe otra posibilidad: ¿no será el *Auto* una flor exótica trasplantada a Castilla, la semilla de una tradición antes muerta que fructífera? Ninguna de las susodichas hipótesis se puede probar actualmente de un modo conclusivo. Lo único cierto es que la madurez dramática del *Auto de los Reyes Magos* indica que no nació de la nada. Tiene que pertenecer a una tradición teatral preexistente, si bien no se puede precisar en este momento cuál ni cómo sería dicha tradición.

3. El teatro de Gómez Manrique

La actividad literaria de Gómez Manrique fue mero trabajo de afición al lado de su actividad política. Y, dentro de la esfera literaria, fue más que nada poeta cortesano y didáctico, pues sólo se dedicó a obras teatrales y parateatrales de un modo ocasional. Su composición dramática más conocida, la *Representaçión del Nasçimiento de Nuestro Señor,* se escribió para doña María Manrique, hermana del poeta y vicaria en el convento de clarisas de Calabazanos. La *Representaçión* tuvo que redactarse después del traslado de la comunidad franciscana a

Calabazanos en 1458 y antes de 1481, año en que el poeta terminó la compilación de sus obras que hacía para don Rodrigo Alonso Pimentel. Kohler postula que la *Representaçión* se compuso durante los años 1476 a 1481, período de relativa tranquilidad en la vida del poeta, que corresponde a su actuación como corregidor de Toledo [13].

Gómez Manrique adopta como punto de partida los evangelios canónicos: San Mateo, 1, 18-25 (las dudas de José) y San Lucas, 2, 8-17 (la Anunciación del Nacimiento a los pastores). Pero el poeta arregla y amplía los relatos evangélicos a su gusto según lo lógico y probable, recurso muy frecuente en la Baja Edad Media. «La oraçión que faze la Gloriosa» para que se alumbre la ceguedad de José no aparece en el evangelio de San Mateo. Producto de la imaginación del dramaturgo, la oración sirve para introducir la perspectiva de la Virgen y para motivar la aparición del ángel a José. Gómez Manrique se inspira también en tradiciones popularizadas en la literatura devota y en las artes pictóricas. La caracterización de San José como un viejo chocho y caduco era bastante frecuente a fines de la Edad Media [14].

En el evangelio de San Lucas, un solo angel anuncia el Nacimiento a los pastores, una multitud de ángeles entonan el *Gloria in excelsis,* los ángeles desaparecen y los pastores salen para Belén a adorar al Niño. En la *Representaçión* de Gómez Manrique un ángel anuncia el Nacimiento a los pastores y éstos salen para Belén, donde adoran al Niño. Aquí es donde los ángeles cantan el *Gloria in excelsis.* La

---

[13] Eugen KOHLER, *Sieben spanische drammatische Eklogen,* Dresden, Gesellschaft für Romanische Literatur, 1911, p. 4.

[14] Johan HUIZINGA, *El otoño de la Edad Media,* trad. José Gaos, Madrid, Alianza, 1981^3, pp. 239-241.

presencia de los ángeles alrededor del pesebre aparecía en la pintura contemporánea. Aquí, tres ángeles específicos (San Gabriel, San Miguel y San Rafael) reemplazan a la multitud de ángeles del relato evangélico. Además de la ventaja evidente de facilitar la representación de la obra por un número reducido de representantes, los tres ángeles integran la simetría numérica de la obra: hay tres pastores, tres ángeles y los instrumentos de la Pasión forman una unidad compuesta de seis (o sea, tres por dos) coplas de cuatro versos cada una [15]. Los ángeles sirven también para ampliar el contenido temático de la obra. San Gabriel evoca la Anunciación a la Virgen, San Miguel recuerda la rebelión de los ángeles malos y, por lo tanto, la entrada del mal en el mundo y la necesidad de la Redención. San Rafael se ofrece como servidor de la Virgen. Los pastores y ángeles agrupados alrededor del pesebre subrayan el motivo de la adoración del Niño, claro reflejo del propósito de la representación en su totalidad, pues no es más que un acto de fe destinado a celebrar el Nacimiento del Redentor.

A primera vista la presentación de los instrumentos de la Pasión al Niño parece ser una anomalía. Sin embargo, la yuxtaposición del Nacimiento y la Pasión es motivo bastante frecuente dentro de la espiritualidad franciscana. Se recordará que la obra fue escrita para un convento de franciscanas por un autor cuya familia estaba muy ligada con la misma orden. El episodio alegórico es preparado por los episodios anteriores, en los que se representa miméticamente la historia del Nacimiento. En el mo-

---

[15] Harry SIEBER, «Dramatic Symmetry in Gómez Manrique's *La Representación del nacimiento de Nuestro Señor*», *Hispanic Review*, XXXIII (1965), pp. 120-125.

mento mismo de dar a luz a Cristo, la Virgen piensa en la futura Pasión. Luego, el tercer pastor recuerda la venidera Pasión al adorar al Niño.

La *Representaçión* navideña de Gómez Manrique ofrece al espectador una multiplicidad de perspectivas yuxtapuestas. La obra se abre con las dos escenas paralelas en las que José y María presentan su perspectiva personal sobre la preñez de la Virgen. Ya se ha visto cómo el Nacimiento se enfoca desde la perspectiva de la Pasión. En términos más generales, como observa Eduardo Juliá Martínez: «Con la visión de un primitivo, se yuxtaponen distintos planos, todos ellos de primer término...» [16]. La referencia a la pintura no es fortuita; una técnica parecida de yuxtaposición se da también en la pintura española de fines de la Edad Media. En el retablo que donó en 1396 el canciller don Pedro López de Ayala al monasterio de Quejana se yuxtaponen el Nacimiento y el anuncio a los pastores. En una de las tablas que pintó Juan de Borgoña en 1508 para el retablo de la catedral de Avila, se ven la adoración de los padres y los ángeles, el anuncio a los pastores y la llegada de éstos al pesebre [17]. Asimismo los miniaturistas castellanos rechazaron la técnica italiana de la pintura con una sola perspectiva lineal a favor de la técnica flamenca de componer el cuadro con las proporciones de las figuras determinadas por su importancia simbólica dentro del todo y no por las leyes empíricas de la perspectiva [18].

---

[16] «La literatura dramática peninsular en el siglo XV», en *Historia general de las literaturas hispánicas,* ed. Guillermo Díaz-Plaja, II, Barcelona, Editorial Barna, 1951, p. 243.

[17] Véase F. J. SÁNCHEZ CANTÓN, *Nacimiento e infancia de Cristo,* Madrid, Editorial Católica, 1948, pp. 34, 39-40.

[18] Esta observación sobre los miniaturistas castellanos de fines de la Edad Media la debo a mi amiga y colega Lynette Bosch.

La *Representaçión* es casi una antología de las formas métricas cortas de la poesía cancioneril del siglo XV. Sin embargo, su polimetría obedece más a fines artísticos que al deseo de lucir la virtuosidad técnica en sí. En la primera parte de la obra el empleo del mismo metro (redondillas del tipo ABBA) sirve para unir varias escenas yuxtapuestas. Los episodios que tratan de la vida íntima de la Sagrada Familia (las sospechas de San José, la oración de la Virgen, la aparición del ángel a José y el Nacimiento) llegan a formar una unidad a pesar de los saltos temporales y espaciales que los separan. Luego, el cambio de metro (redondillas del tipo ABAB) sirve para articular la intromisión de otro grupo de personajes (los pastores) y el traslado de la acción a las afueras de Belén. Después de recibido el mensaje angélico, la sorpresa y confusión de los pastores se reflejan en el empleo de una estrofa corta cuyo segundo verso está sin rima. El metro sirve para destacar esta escena, pues los tercetos octosílabos sueltos se utilizan aquí por primera y única vez en la *Representaçión*. En el momento de adorar al Niño, los pastores hablan de la propia indignidad y bajeza, pero sus palabras son desmentidas por el empleo de la estrofa de forma más compleja de la obra (una redondilla más un terceto: ABBACDC). Jesucristo ha querido manifestarse a unos humildes pastores, quienes son exaltados por la forma métrica que utilizan. La adoración de los ángeles se caracteriza por el predominio de la redondilla de tipo ABBA, forma que ofrece un contraste sutil con el predominio de la redondilla de tipo ABAB en la presentación de los instrumentos de la Pasión. La obra termina con un villancico de tipo zejelesco. Se supone que la Virgen sola canta las mudanzas del villancico (se trata de una canción de cuna), mientras que todas las monjas, representantes y espectadoras, cantan el estribillo «Callad, fijo mío / chiquito». Es el punto en donde coinciden la historia sagrada y el momento histórico del público. Nace aquí y ahora el Santo Esposo de las clarisas de Calabazanos.

Otra obra de Gómez Manrique que puede relacionarse con su actividad como dramaturgo es las coplas o lamentaciones *Fechas para la Semana Santa*. Se trata de una versión vernácula del *Planctus Mariae* en la que intervienen también San Juan y la Magdalena. La crítica sigue debatiendo la cuestión de si la obra fue destinada o no a la representación. Se sabe que tales llantos podían representarse en la Edad Media [19], y, por lo tanto, la obra se incluye aquí, siendo peor en este caso pecar por omisión que no por comisión.

Los *Planctus Mariae* dramatizados se distinguen de otros dramas litúrgicos por la importancia concedida al componente lírico. Aquí todo es reacción. La acción, es decir, la historia de la Pasión de Cristo, ya aconteció, y los personajes que intervienen en el llanto no hacen más que reaccionar a ella. Se puede precisar además que la Pasión de Cristo es un hecho que nunca acaba de acontecer. Los personajes que intervienen en la obra son como una «ficcionalización» de los espectadores, pues eran y siguen siendo testigos de la Pasión, como lo son ahora los espectadores reales del llanto. Dichos espectadores reales deben responder espiritualmente a la Pasión siguiendo la pauta de las reacciones paradigmáticas proporcionadas por los personajes de la obra.

---

[19] Véanse, por ejemplo, las acotaciones de un *Planctus Mariae* del siglo XIV que se representó en Italia (Cividale). El texto se edita en Vincenzo de BARTHOLOMAEIS, *Le origini della poesia drammatica italiana,* Bologna, Nicolà Zanichelli, 1924, pp. 532-535.

A pesar de que, como composición sumamente lírica, la obra es estática y hasta hierática, posee también un dinamismo que nace de su agresividad retórica. Al querer hacer que el público devoto imite sus reacciones modelos, los personajes del llanto embisten verbalmente a los espectadores con apóstrofes, mandatos y exhortaciones. Después de identificarse, la Virgen parafrasea el quinto responsorio de los maitines de Sábado Santo: *O vos omnes, qui transitis per viam, attendite, et videte si est dolor similis sicut dolor meus.* Al invitar a todos a participar en su dolor, la Virgen particulariza el *omnes* del texto latino, dirigiéndose primero a los hombres y luego a las mujeres («vosotras»). La cadena de imperativos se hace todavía más individualizada cuando la Virgen subdivide a las mujeres en casadas y doncellas para luego dirigirse a «todos los tres estados», o sea, a toda la sociedad cristiana. Todos son pecadores, todos son culpables de la muerte de Cristo y todos deben compartir el llanto por la muerte de su Redentor.

El metro básico de la obra es la estrofa compuesta de dos redondillas. Cada estrofa se remata con el estribillo « ¡Ay dolor»! , con la excepción de las últimas dos estrofas, en donde es posible que se omitiera por descuido del copista del manuscrito. Elemento lírico puro, la repetición del estribillo debía tener un efecto casi hipnótico en el público, estimulando así su participación en el dolor de la Pasión. Nacido del canto litúrgico, el teatro religioso medieval manifiesta aquí con toda claridad sus raíces líricas. Como acto de fe, el *planctus* dramático no logra sus efectos por la re-presentación de lo que acontece, sino por la expresión de cómo los participantes se sienten existiendo en lo que les acontece.

4. El teatro en Toledo

El primer ejemplo que se ha conservado de actividad teatral en la catedral de Toledo posterior al *Auto de los Reyes Magos* de hacia 1150 es la dramatización de las laudes de Navidad que se hacía a partir del siglo XIV. Dos cantores cantaban la antífona *Pastores dicite* y dos mozos de coro vestidos de pastores respondían con la antífona *Infantem vidimus* (Donovan, pp. 31-39, 47-49). Ya en 1453, un mozo de coro disfrazado de sibila cantaba el monólogo dramático sobre el Juicio Final, *Judicii signum* (Donovan, pp. 39-47, y *Teatro en Toledo,* p. 24). Además, las cuentas catedralicias hablan de alguna suerte de representación para la Presentación (1432), la Asunción (1461) y otras fiestas (*Teatro en Toledo,* pp. 19-36).

Las representaciones más vistosas, sin embargo, se reservaban para la fiesta del Corpus Christi. Ya en 1418 se celebraba la fiesta con una procesión. En 1465 se habla de «representaciones», y ya en 1476 tales representaciones se hacían en la procesión misma. Los autos se representaban en carros y un mismo auto podía utilizar varios carros que corresponderían a varios escenarios. Los carros podían tener máquinas especiales para representar la Ascensión o la bajada del Espíritu Santo o de un ángel. Los clérigos o cantores de la catedral desempeñaban los papeles principales, mientras que los papeles secundarios podían confiarse a personas no asociadas al Cabildo. Se concedía atención especial a los trajes. Cristo llevaba una cofia de cabellos. San Juan Bautista vestía una túnica con colas de vaca blancas y bermejas prendidas. San Miguel llevaba un vestido brillante de oropel. Los diablos iban vestidos de pellejos, capirotes y cascabeles. Algunos personajes, y no sólo los malos (diablos, judíos, sayones, etc.), llevaban también máscaras (*Teatro en Toledo,* pp. 54-70). El empleo de las caretas daría un aspecto bastante estilizado a las representaciones. Dicha estilización debía ser aparente también en el modo bastante hierático de representar, tan próximo a los gestos convencionales de las artes pictóricas.

De los 33 autos diferentes que se representaban para el Corpus toledano, según las cuentas conservadas que corresponden a los años 1493-1510, no poseemos actualmente el texto de ninguno, aparte de un fragmento (diez versos) de un posible *Auto de los santos padres* y el guión para un *Auto del emperador* o *de San Silvestre* (*Teatro en Toledo,* páginas 181-184). Sin embargo, hay una obra que puede proporcionar una noción de cómo eran tales representaciones. Se trata de un *Auto de la Pasión,* descubierto en unas páginas de un libro de cuentas de la capilla de San Blas de la catedral de Toledo. El texto puede atribuirse con toda probabilidad a Alonso del Campo, receptor de las cuentas de dicha capilla y encargado de preparar las representaciones para el Corpus en el período de 1481 a 1499. El *Auto de la Pasión* debió de redactarse entre 1486 y 1499, año en el que murió Alonso del Campo.

El texto que conserva el libro de cuentas no es más que un borrador. Algunos versos están tachados, otros corregidos sobre la primitiva versión. La obra parece ser un fragmento, pero es difícil juzgar qué parte del texto no llegó a redactarse o no se conservó. Faltan los episodios que serían más difíciles de escenificar con dignidad y devoción (la Flagelación, la Crucifixión misma, etc.). Sin embargo, estos episodios se anuncian durante la escena en el huerto entre Cristo y el ángel, y también se evocan durante el llanto de San Juan. El momento en que San Pedro le corta la oreja al soldado no se dramatiza en la escena que corresponde al Prendimiento, pero sí se narra más tarde durante el llanto de San Pedro. Esto sugiere que Alonso del Campo prefirió narrar, en lugar de escenificar, las escenas más cruentas, y si el caso es así, tal vez no le falte mucho al *Auto de la Pasión* para ser completo.

Alonso del Campo no era un autor profesional, ni mucho menos. La preparación de los autos para el Corpus era solamente una parte de sus tareas como miembro del Cabildo. Autor aficionado, Alonso del Campo se inspiró en los evangelios canónicos, las tradiciones apócrifas y los versos ya hechos de dos obras de Diego de San Pedro, la *Pasión trobada* y las *Siete angustias de Nuestra Señora.* Los versos prestados llegan a constituir casi la cuarta parte del borrador del *Auto.* Todo parece indicar, sin embargo, que Alonso del Campo se esforzó por apartarse hasta lo posible del plagio servil, sirviéndose de los versos ajenos como punto de partida para la propia elaboración. En los casos donde tenemos dos redacciones de una estrofa inspirada en Diego de San Pedro, la primera versión es normalmente copia casi textual de San Pedro, mientras que la segunda versión trata de recrear a su modelo. El *Auto de la Pasión* comienza con la siguiente estrofa:

Amigos míos, aquí esperad
mientras entro a orar al huerto,
que mi ánima es triste hasta la muerte
que yo he de pasar muy fuerte,
e mi cuerpo está gimiendo
y mi coraçón desfallesçiendo.
Velad comigo, mis amigos,
no me seáis desconosçidos.

Aparece tachada una estrofa cuyos versos siguen muy de cerca la *Pasión trobada* de Diego de San Pedro:

> Amigos, velad y orad
> y no entrés en tentaçión,
> y aquí me esperad,
> que y'os quiero un poco dexar.
> Y catad que n'os turbés,
> que más comigo no'starés
> de cuanto acabe de orar.
>
> (*Teatro en Toledo,* p. 159)

Es evidente el modo en que Alonso del Campo ha acabado por rechazar casi del todo al texto de San Pedro. El énfasis de la estrofa se ha trasladado desde algunos consejos más bien abstractos dirigidos a los discípulos hacia el mismo Cristo y su venidera Pasión. La mención concreta del huerto sitúa la acción de la escena muy específicamente en el espacio. El recuerdo de San Mateo 26, 38 («Tristis est anima mea usque ad mortem») debía evocar en la mente de los espectadores la sensación de proximidad a los hechos reales de la Pasión. Los gerundios («gimiendo» y «desfallesçiendo») actualizan y enfatizan el sufrimiento del Salvador.

Frente al metro único empleado en los poemas de Diego de San Pedro, Alonso del Campo quiso variar las formas estróficas según el personaje que habla o según los cambios de escena. Cuando se calla el relato evangélico, el dramaturgo agrega pormenores de su propia cosecha. Así, cuando llega el culpado Judas al huerto para traicionar a su Señor, éste observa: «Amigo, esa tu color, / ¡cómo le traes demudada!» Las editoras primeras de la obra han observado (*Teatro en Toledo,* p. 139) cómo el *Auto* trata la Pasión desde dos perspectivas dramáticas. Se representan miméticamente la Oración del Huerto, el Prendimiento, la Negación de San Pedro, la Sentencia de Pilatos, y el encuentro de San Juan y la Virgen. Interpuestos entre esas escenas hay tres lamentos de carácter lírico en los que San Pedro, San Juan y la Virgen evocan varios momentos de la Pasión, algunos de los cuales, al parecer, no pertenecerían a la selección de episodios que Alonso del Campo pensaba escenificar.

Las escenas narradas no están puestas en boca de narradores neutros. Al contrario, por ser San Pedro, San Juan y la Virgen participantes y testigos de la Pasión, se aumenta el patetismo de la obra cuando dichos personajes reviven los hechos dolorosos al narrarlos. Esta alternancia entre la representación directa y la evocación oblicua, entre la acción dramática y la reflexión lírica, le da al *Auto de la Pasión* un ritmo propio. En algunos momentos cabría hablar de cierto perspectivismo. La obra presenta el Prendimiento y luego re-presenta los mismos hechos en llantos paralelos puestos en boca de San Pedro y San Juan. Cada personaje, al narrar la historia de la Pasión, reacciona a ella desde el propio punto de vista. Como en el caso de la *Representaçión* de Gómez Manrique, hay una multiplicidad de perspectivas yuxtapuestas que recuerda la técnica de las artes pictóricas de la época.

5. «Auto de la huida a Egipto»

El *Auto de la huida a Egipto* se encuentra en un manuscrito procedente del convento de clarisas de Santa María de la Bretonera, en la provincia de

Burgos [20]. Puede fecharse entre la fundación del convento en 1446 y su encuadernación con dos libros comprados en 1512. La letra del manuscrito parece ser de finales del siglo XV o comienzos del XVI. La obra no tiene título alguno en el manuscrito. Fue el primero de sus editores modernos, Justo García Morales, quien la tituló *Auto de la huida a Egipto.*

El metro fundamental de la obra es la redondilla de tipo ABBA, aunque hay ejemplos esporádicos de redondillas que riman ABAB. Un cambio brusco de metro destaca la escena central del auto, o sea, el encuentro del Peregrino y San Juan cuando éste le anuncia a aquél el Nacimiento del Mesías. Los parlamentos de ocho versos o más que caracterizan los diálogos del resto de la obra dan lugar aquí a una serie de intercambios rápidos y breves de metro irregular. Es como si la forma métrica más libre y más presurosa reflejara la alegría provocada por la buena noticia del Nacimiento. Otra serie de rupturas en el padrón básico de las redondillas viene dada por la interpolación de cinco villancicos. Todos son de tipo zejelesco, y cada uno tiene su propio esquema métrico. Esto quiere decir que el componente musical tiene un papel destacado en la obra. En términos generales, el canto acompaña el movimiento de los personajes de un sitio a otro y, por lo tanto, sirve sobre todo para articular los cambios de lugar que ocurren en el auto.

Una hipótesis interesante sobre la escenificación del *Auto de la huida a Egipto* viene sugerida por los poemas que aparecen antes del texto del auto en

---

[20] Se recordará que Gómez Manrique escribió su *Representación* para un convento de clarisas. Por lo tanto, cabe destacar el papel de los conventos franciscanos como centros teatrales en la Castilla del siglo XV.

el manuscrito procedente del convento de Santa María de la Bretonera. Varios poemas aluden a ermitas que debían estar cerca del convento: San Salvador, la Trinidad, la Cruz, la Magdalena, etc. Otros poemas invitan a las monjas a contemplar varios pasos de la Pasión. Podría tratarse de un Via Crucis totalmente interior o imaginado, pero versos como «Pensarás, ánima fiel, / cuando pases por aquí / que es la cumbre y chapitel / del monte Calvario aquel / que ves delante de ti» hacen pensar en sitios concretos que representaran los sitios reales de la Pasión [21]. Parece que había también otros lugares no relacionados con la Pasión que tendrían letreros con oraciones o ante los cuales las monjas recitarían oraciones específicas. He aquí el texto poético que se titula «A Egipto»:

> No pases depriesa, devota cristiana,
> sin leer estas letras que ves ante ti,
> las cuales te dicen que Egito es aquí,
> do vino huyendo la luz soberana,
> y a do renunciando la pompa mundana
> por no se ver presos de sus deceptiones,
> su vida hicieron mill santos varones
> a quien yo te aviso que sigas, hermana [22].

Aunque el manuscrito no contiene poemas dedicados a todos los lugares evocados en el *Auto de la huida a Egipto,* la existencia de un sitio real que representaría a Egipto sugiere que la geografía divinizada de los alrededores del convento de Santa María

---

[21] Uno de los primeros intentos de formar un Via Crucis fue realizado en el convento de Escalaceli por Alvaro de Córdoba (m. 1430) al volver de una peregrinación a Jerusalén. Véase Cesáreo GIL ATRIO, «¿España, cuna del Viacrucis?», *Archivo Iberoamericano,* XI (1951), pp. 70-71.

[22] *Auto de la huida a Egipto,* ed. Justo García Morales, Madrid, Joyas Bibliográficas, 1948, p. 34.

de la Bretonera podía servir para la escenificación del auto.

El *Auto de la huida a Egipto* yuxtapone los temas de la huida de la Sagrada Familia a Egipto (San Mateo, 2, 13-21) y la penitencia de San Juan Bautista en el desierto (San Mateo, 3, 1-4). El episodio de los ladrones con quienes se encuentra la Sagrada Familia procede de los evangelios apócrifos. Hay otra tradición apócrifa que autoriza el encuentro en el desierto entre San Juan y la Sagrada Familia, al volver ésta de Egipto. Sin embargo, en el *Auto* la Sagrada Familia y San Juan nunca llegan a encontrarse. ¿Por qué mantiene separadas el anónimo autor las dos tramas? La clave de la cuestión es el Peregrino, personaje no canónico que parece ser pura invención del dramaturgo. El Peregrino sirve para encadenar los episodios relacionados con la Sagrada Familia y los que están vinculados con la penitencia de San Juan. Como puente entre las dos tramas archiconocidas, el Peregrino llama la atención de las espectadoras al propio papel innovador. El Peregrino funciona como el doble dramático de cada espectadora. Testigo de los hechos sagrados, el Peregrino reacciona a ellos de un modo ejemplar. Cuando San Juan le hace saber la noticia del Nacimiento del Mesías, el Peregrino sale en busca de su Salvador. Al llegar a Egipto, el Peregrino le ofrece su casa a la Sagrada Familia. Cuando regresa adonde está San Juan, el Peregrino le anuncia su decisión de compartir la vida ascética del Bautista. Las monjas que miran el espectáculo participan en la representación al identificarse con el Peregrino, especie de «Everyman» cuya conversión debe inspirar la de las espectadoras. Animadas por el comportamiento ejemplar del Peregrino, las monjas del convento de Santa María de la Bretonera deben tomar la decisión de dedicarse a la vida ascética. El Peregrino era vecino de la Sagrada Familia en Egipto, pero no reconoció al Niño como el Mesías. Así, el auto demuestra al pecador que Dios está allí presente y que basta reconocer esa presencia para cambiar de vida y salvarse [23]. Y cuando en el villancico final San José invita a su tierra a alegrarse «porque a visitarte va / el que te redimirá», cada espectadora debe alegrarse y prepararse por la venidera visita de su Redentor.

6. «Diálogo del viejo, el Amor y la hermosa»

La deuda del teatro del siglo XV hacia la poesía contemporánea es bien obvia. Ya se ha visto cómo el *Auto de la Pasión* de Alonso del Campo incorpora trozos de la *Pasión trobada* de Diego de San Pedro. El teatro y la poesía lírica comparten las mismas formas métricas. Textos parateatrales podrían considerarse las poesías dialogadas, tales como las *Coplas* de Puerto Carrero y el *Diálogo entre el amor y un viejo* de Rodrigo Cota, y, en cierto modo, la *Querella ante el dios del Amor* de Escrivá o la *Egloga* de Francisco de Madrid, y hasta se ha hablado de la teatralidad de las Danzas de la muerte. Si bien el *Diálogo* de Cota se destaca por su teatralidad, es probable que se destinara a la lectura o a la recitación en voz alta y no a la representación escénica. Pero

---

[23] Una función parecida la tiene el ladrón mozo. Este también se convierte al reconocer que Cristo es el Mesías prometido por las profecías del Viejo Testamento. El *Auto* recuerda al público la tradición apócrifa según la cual el ladrón mozo era el que más tarde sería crucificado al lado derecho de Cristo y salvado: «Y un hijo d'este ladrón, / de tu graçia inspirado, / quesiste fuese salvado / en el día de la Pasión.»

una refundición bastante libre del *Diálogo* de Cota muy bien podría ser una obra dramática. El manuscrito de la primera mitad del siglo XVI que contiene la anónima refundición la encabeza con la rúbrica «Interlocutores senex et amor mulierque pulchra forma». Fue María Rosa Lida de Malkiel quien le dio el título castellano de *Diálogo del viejo, el Amor y la hermosa*[24]. La probabilidad de que el anónimo refundidor destinara su obra a la escenificación viene subrayada por varias referencias en el texto a los espectadores. El viejo se lamenta que no pudo menos de rendirse al amor, «como havéis visto aquí todos». Y un poco más tarde el viejo se presenta como ejemplo viviente contra los males del amor, «pues delante vuestros ojos / havéis visto los abrojos / que se cojen con sus bienes». Además, la obra se cierra con un villancico, forma convencional de concluir las obras dramáticas castellanas a partir de la época de Juan del Encina y Lucas Fernández. (Se editará a estos dramaturgos en otros volúmenes de la colección.)

El diálogo evoca además varios gestos que, si bien podían recrearse en la imaginación de un lector, serían mucho más eficaces al escenificarse la obra. Antes de encontrarse con la hermosa, el viejo se atavía y luego le pide al Amor que le mire «todo, todo en derredor» para ver si está bien así. Hay un eco de este episodio durante la entrevista del viejo con la hermosa. Cuando ésta comienza a burlarse de las pretensiones del viejo, lo hace mirándolo «pieça por pieça» y catalogando la frente arrugada, las mejillas descarnadas, los dientes carcomidos, etc. Es decir, los

---

[24] Reseña de: Rafael LAPESA, *La obra literaria del Marqués de Santillana,* Madrid, Insula, 1957. *Romance Philology,* XIII (1959-1960), p. 292.

atavíos del viejo engalanado no logran disfrazar lo decrépito de su cuerpo. Al principio, el viejo no deja al Amor saludarle, pues su «mano encendida / cuanto toca en esta vida / haze convertir en fuego». Luego, el viejo no quiere que el Amor se acerque: «Desde allá haz que te sienta, / que tu aliento m'escalienta / tanto que temo abrusarme.» Tal insistencia en la separación de los dos personajes y el concomitante miedo del contacto físico prepara el clímax de la obra, o sea, el momento en el que el viejo se rinde al Amor: éste pone la mano sobre el corazón del viejo. El motivo del tacto reaparece más tarde cuando el viejo quiere tocar a la hermosa y ésta no se lo permite, gritando: «¡No toques, viejo, mis paños!» Si antes el viejo no quería que el Amor le tocara, ahora la hermosa rehúsa el toque del viejo enamorado. Desde luego, el juego especular de tales gestos cobra mayor eficacia en el contexto plástico de la representación teatral.

Desde el punto de vista estructural, el *Diálogo* se puede dividir en dos partes: la confrontación entre el viejo y el Amor seguida de la entrevista entre el viejo y la hermosa. El episodio central de la confrontación entre el viejo y el Amor lo constituye una especie de debate. Primero, el viejo como fiscal acusa al Amor, enumerando los males que engendra. Luego, una serie de réplicas agudas entre los dos personajes cede el paso a otro discurso largo en el que el Amor se defiende, enumerando los bienes que trae. Después, prosigue el debate en una serie de dimes y diretes que culmina en la entrega total del viejo al Amor. Esta alternación de discursos largos y réplicas agudas se repite en miniatura en la segunda parte del *Diálogo,* en la que se entrevistan el viejo y la hermosa. El viejo comienza una larga serie de requiebros amorosos a los cuales contesta la hermosa con una prolongada sucesión de mofas. El episodio en que el viejo quiere tocar a la hermosa se dramatiza en un diálogo muy rápido que se concluye con el monólogo moralizador del viejo desengañado, contraparte a su vez del monólogo pronunciado por el viejo al comienzo de la primera parte, en el que se queja del mundo. Tal vez el villancico final sea un dúo cantado por el viejo y la hermosa.

Como se ha dicho, el *Diálogo* alterna parlamentos largos con intervenciones más rápidas y más breves. Se puede observar cómo el anónimo autor se ha esforzado por aligerar los discursos más largos. En la acusación contra el amor puesta en boca del viejo, por ejemplo, hay una vertiginosa serie de imágenes que se emplean para enumerar las penas del amor. El Amor es fuego, es un entremetido que llega a ser señor de la casa, es fiebre, es piloto de nave, es jefe de una galera. La brillante sucesión de imágenes logra captar el carácter proteico del Amor [25]. En el parlamento con el que se defiende el Amor, su jactancia de soberanía sobre todo lo creado cede el paso a una serie de listas donde el acusado enumera de modo rápido y caótico todos los bienes que trae.

En su *Diálogo,* Cota enfatiza lo arbitrario del enamoramiento del viejo por parte del Amor. Es el acto totalmente gratuito de un dios cruel. El anónimo refundidor sobrepone en la trama de Cota una intención didáctica muy clara sobre los peligros del amor. Con este propósito, el refundidor agrega el personaje de la hermosa para que el viejo enamorado tenga

---

[25] Para un aspecto de las imágenes del *Diálogo,* véase Alan DEYERMOND, «The Use of Animal Imagery in Cota's *Diálogo* and in Two Imitations», en *Etudes de Philologie Romane et d'Histoire Littéraire offertes à Jules Horrent,* ed. Jean Marie d'Heur y Nicoletta Cherubini, Lieja, 1980, pp. 133-140.

un objeto concreto en que pueda demostrar lo ridículo de sus pretensiones. Luego, el viejo mismo se hace el encargado de comunicar el mensaje didáctico de la obra al confesar su crimen y aceptar su justo castigo. Así, pues, el didacticismo de la anónima refundición cuadra bien con la probabilidad de su intención teatral. Si, en efecto, el *Diálogo del viejo, el Amor y la hermosa* se destinó a la representación, el propósito de hacer re-presentar, de hacer demostrar, la trayectoria del viejo sirve para mejor demostrar la moraleja de la obra[26].

---

[26] Agradezco a los profesores Alan DEYERMOND y Raymond S. WILLIS sus comentarios sobre la primera redacción de esta introducción, y a Margarita NAVARRO BALDEWEG su cuidadosa revisión del texto español.

CRITERIOS DE ESTA EDICION

Edito las obras siguientes: *Auto de los Reyes Magos;* Gómez Manrique: *Representaçión del Nasçimiento de Nuestro Señor* y *Lamentaciones fechas para la Semana Santa;* Alonso del Campo: *Auto de la Pasión; Auto de la huida a Egipto; Diálogo del viejo, el Amor y la hermosa.* Como puede verse, prescindo de textos más o menos vinculados a la práctica dramatúrgica, pero que no pueden ser considerados propiamente como teatro (a ellos aludo, en su lugar, en el estudio precedente). Tampoco, por razones obvias, se incluye aquí *La Celestina,* ni la obra de J. del Encina y L. Fernández.

La transcripción de los textos ha sido sistematizada según mis propios criterios, no con los de cada uno de los editores previos. Se ha regularizado el uso de *u* y *v,* transcribiendo la *u* consonántica como *v* y *v* vocálica como *u.* Se conservan *ç* y *z* con su uso medieval. Se han regularizado según su uso moderno: la *g* y *gu-*; la *q,* la *c* y la *ch*; y la *i* y la *y.* Se han simplificado las letras dobles (*-mm-, -ff-,* etc.), con la excepción de *-ss-* intervocálica. *Rr-* inicial y *-rr-* después de una consonante se transcriben como *r.* Se resuelven las abreviaturas y se deshacen uniones anticuadas. La acentuación y la puntuación han sido modernizadas. Las adiciones de letras, palabras y frases van encerradas entre corchetes. Las acotaciones van en cursiva. Se emplea el acento escrito para establecer la diferencia entre las siguientes palabras: *ó* («donde») y la conjunción *o*; *só* («soy») y la preposición *so*, y el pronombre *ál* y la contracción *al*. Por claridad se escriben *porque* causal en una palabra y *por que* («para que») en dos. Para facilitar la lectura, se añade un *h* a las formas del verbo *haber* que no la tenían. En la mayoría de los casos se han corregido errores obvios de los textos sin mencionarlo.

El texto del *Auto de los Reyes Magos* se basa en la edición de Menéndez Pidal. Puesto que el manuscrito original no tiene acotación alguna, Menéndez Pidal tuvo que atribuir los parlamentos entre los varios personajes, a veces de un modo arbitrario. Más recientemente, Ricardo Senabre ha propuesto una nueva distribución de acuerdo con una caracterización más consistente de los personajes. Se acogen las sugerencias de Senabre en el texto que se transcribe aquí.

Las obras dramáticas de Gómez Manrique se basan en la edición del *Cancionero* hecha por Paz y Melia. También se consultaron los manuscritos originales. El texto del *Auto de la Pasión* de Alonso del Campo parte de la edición de Torroja Menéndez y Rivas Palá. Carmen Vaquero Serrano tuvo la bondad de averiguar algunas lecturas del manuscrito original. Para el *Auto de la huida a Egipto* se emplean las ediciones de García Morales y Amícola, además de la edición en facsímil del manuscrito que incluye García Morales.

El texto del *Diálogo del viejo, el Amor y la hermosa* se basa en la edición de Aragone. Tanto en dicha edición como en el manuscrito original, los interlocutores se indican con sus nombres latinos:

Amor, Senex, Mulier. Puesto que el texto se transcribe aquí bajo el título castellano sugerido por María Rosa Lida de Malkiel, los interlocutores se indican mediante sus equivalentes castellanos: el Amor, el viejo y la hermosa.

BIBLIOGRAFIA

I. *OBRAS GENERALES SOBRE EL TEATRO MEDIEVAL*

AXTON, Richard, *European Drama of the Early Middle Ages,* Londres, Hutchinson University Library, 1974.

COLLINS, Fletcher, *The Production of Medieval Church Music-Drama,* Charlottesville, University Press of Virginia, 1972.

HARDISON, O. B., *Christian Rite and Christian Drama in the Middle Ages: Essays in the Origin and Early History of Modern Drama,* Baltimore, Johns Hopkins University Press, 1965.

The Medieval Drama, ed. Sandro Sticca, Albany, State University of New York Press, 1972.

TYDEMAN, William, *The Theatre in the Middle Ages,* Cambridge, Cambridge University Press, 1978.

YOUNG, Karl, *The Drama of the Medieval Church,* 2 vols., Oxford, Oxford University Press, 1933.

II. *OBRAS GENERALES SOBRE EL TEATRO MEDIEVAL CASTELLANO*

DONOVAN, Richard B., *The Liturgical Drama in Medieval Spain,* Toronto, Pontifical Institute of Mediaeval Studies, 1958.

LÓPEZ MORALES, Humberto, *Tradición y creación en los orígenes del teatro castellano,* Madrid, Alcalá, 1968.

SHERGOLD, N. D., *A History of the Spanish Stage from*

Medieval Times Until the End of the Seventeenth Century, Oxford, Clarendon Press, 1967.
Teatro medieval, ed. F. Lázaro Carreter, Madrid, Castalia, 1970[3].

III. *EDICIONES DE TEXTOS CASTELLANOS*

AMÍCOLA, José, «El *Auto de la huida a Egipto,* drama anónimo del siglo XV», *Filología,* XV (1971), pp. 1-29.
Auto de la huida a Egipto, ed. Justo García Morales, Joyas Bibliográficas, II, Madrid, 1948.
Auto de los Reyes Magos, ed. Ramón Menéndez Pidal, en sus *Textos medievales españoles,* Madrid, Espasa-Calpe, 1976, pp. 171-177.
Cancionero de Gómez Manrique, ed. Antonio Paz y Melia, 2 vols. Madrid, Imprenta de A. Pérez Dubrull, 1885.
Diálogo del viejo, el Amor y la hermosa, apéndice de Rodrigo Cota, *Diálogo entre el amor y un viejo,* ed. Elisa Aragone, Firenze, Le Monnier, 1961, pp. 115-125.
LÓPEZ YEPES, José: «Una *Representación de las sibilas* y un *Planctus Passionis* en el Ms. 80 de la Catedral de Córdoba», *Revista de Archivos, Bibliotecas y Museos,* LXXX (1957), pp. 545-568.
TORROJA MENÉNDEZ, Carmen, y RIVAS PALÁ, María, *Teatro en Toledo en el siglo XV: «Auto de la Pasión» de Alonso del Campo, Boletín de la Real Academia Española,* anejo XXXV, Madrid, 1977.

IV. *ESTUDIOS SOBRE AUTORES Y OBRAS INDIVIDUALES*

«AUTO DE LOS REYES MAGOS»

DEYERMOND, Alan, y HOOK, David, «El problema de la terminación del *Auto de los Reyes Magos*», *Anuario de Estudios Medievales* (en prensa).
ENTWISTLE, William J., «Old Spanish *Hamihala*», *Modern Language Review,* XX (1925), pp. 465-466.
ESPINOSA, Aurelio M., «Notes on the Versification of *El Misterio de los Reyes Magos*», *Romanic Review,* VI (1915), pp. 378-401.

FOSTER, David W., «Figural Interpretation and the *Auto de los Reyes Magos*», *Romanic Review,* LVIII (1967), pp. 3-11.

KERKHOF, Maxim P. A. M., «Algunos datos en pro del origen catalán del autor del *Auto de los Reyes Magos*», *Bulletin Hispanique,* LXXXI (1979), pp. 281-288.

LAPESA, Rafael, «Sobre el *Auto de los Reyes Magos*: sus rimas anómalas y el posible origen de su autor», en el *Homenaje a Fritz Krüger,* II, Mendoza, Universidad de Cuyo, 1954, reimpreso en *De la Edad Media a nuestros días,* Madrid, Gredos, 1967, pp. 37-47.

REGUEIRO, José M., «El *Auto de los Reyes Magos* y el teatro litúrgico medieval», *Hispanic Review,* XLV (1977), pp. 149-164.

SENABRE, Ricardo, «Observaciones sobre el texto del *Auto de los Reyes Magos*», en *Estudios ofrecidos a Emilio Alarcos Llorach,* I, Oviedo, Universidad de Oviedo, 1977, pp. 417-432.

SITO ALBA, Manuel, «La teatralità seconda e la struttura radiale nel teatro religioso spagnolo del medioevo: la *Representación de los Reyes Magos*», en *Atti* del V Convegno Internazionale del Centro di Studi sul Teatro Medievale e Rinascimentale (22-25 maggio 1980) sul tema *Le laudi drammatiche umbre delle origini,* Viterbo, 1981.

SOLA-SOLÉ, J. M., «El *Auto de los Reyes Magos*: ¿impacto gascón o mozárabe?», *Romance Philology,* XXIX (1975-1976), pp. 20-27.

STURDEVANT, Winifred, *The «Misterio de los Reyes Magos»: Its Position in the Development of the Medieval Legend of the Three Kings,* Baltimore-París, The Johns Hopkins University Press y Presses Universitaires de France, 1927.

WARDROPPER, Bruce W., «The Dramatic Texture of the *Auto de los Reyes Magos*», *Modern Language Notes,* LXX (1955), pp. 46-50.

WEISS, Julian, «The *Auto de los Reyes Magos* and the Book of Jeremiah», *La Corónica,* IX (1981), pp. 128-131.

GÓMEZ MANRIQUE

SIEBER, Harry, «Dramatic Symmetry in Gómez Manrique's *La representación del Nacimiento de Nuestro Señor*», *Hispanic Review,* XXXIII (1965), pp. 118-135.

ZIMIC, Stanislav, «El teatro religioso de Gómez Manrique

(1412-1491)», *Boletín de la Real Academia Española,* LVII (1977), pp. 353-400.

«Diálogo del viejo, el Amor y la hermosa»

Deyermond, Alan, «The Use of Animal Imagery in Cota's *Diálogo* and in Two Imitations», en *Études de Philologie Romane et d'Histoire Littéraire offertes à Jules Horrent,* ed. Jean Marie d'Heur y Nicoletta Cherubini, Lieja, 1980, pp. 133-140.

Salvador Martínez, H., «*El Viejo, el Amor y la Hermosa* y la aparición del tema del desengaño en el teatro castellano primitivo», *Revista Canadiense de Estudios Hispánicos,* IV (1980), pp. 311-328.

TEATRO MEDIEVAL CASTELLANO

AUTO DE LOS REYES MAGOS

[ESCENA PRIMERA]

[Caspar, solo]

¡Dios criador, cuál maravila!
No sé cuál es aquesta strela.
Agora primas la he veída;
poco timpo ha que es nacida.
¿Nacido es el Criador
que es de la[s] gentes Senior?
Non es verdad, non sé qué digo;
todo esto non vale uno figo.
Otra nocte me lo cataré;
si es vertad, bine lo sabré.

[Pausa]

¿Bine es vertad lo que yo digo?
En todo, en todo lo prohío.
¿Non pudet seer otra sennal?
Aquesto es y non es ál;
nacido es Dios, por ver, de fembra
in aquest mes de december.
Alá iré; ó que fure, aoralo he;
por Dios de todos lo terné.

[ESCENA SEGUNDA]

[Baltasar, solo]

Esta strela non sé dónd vinet,
quín la trae o quín la tine.
¿Por qué es aquesta sennal?
En mos días [n]on vi atal.
Certas nacido es en tirra
aquel qui en pace y en guer[r]a
senior ha a seer da oriente
de todos hata in occidente.
Por tres noches me lo veré
y más de vero lo sabré.

[Pausa]

¿En todo, en todo es nacido?
Non sé si algo he veído.
Iré, lo aoraré,
y pregaré y rogaré.

[ESCENA TERCERA]

[Melchior, sòlo]

¡Val, Criador! ¿Atal facinda
fu nuncas alguandre falada
o en escriptura trubada?
Tal estrela non es in celo;
d'esto só yo bono strelero.
Bine lo veo sines escarno
que uno omne es nacido de carne
que es senior de todo el mundo,
así cumo el cilo es redondo.

De todas gentes senior será
y todo seglo jugará.
¿Es? ¿Non es?
Cudo que verdad es.
Veerlo he otra vegada,
si es vertad o si es nada.

[Pausa]

Nacido es el Criador
de todas las gentes mayor.
Bine lo [v]eo que es verdad;
iré alá, par caridad.

[ESCENA CUARTA]

[Baltasar a Melchior:]

¡Dios vos salve, senior! ¿Sodes vos strelero?
Dezidme la vertad, de vos sabelo quiro.

[Caspar a Melchior:]

[¿Vedes tal maravila?]
[Nacida] es una strela.

[Melchior:]

Nacido es el Criador,
que de las gentes es senior.

[Baltasar:]

Iré, lo aoraré.

[Caspar:]

Yo otrosí rogarlo he.

[Melchior:]

Seniores, ¿a cuál tirra, ó que[redes] andar?
¿Queredes ir conmigo al Criador rogar?
¿Havédeslo veído? Yo lo vo [aor]ar.

[Caspar:]

Nos imos otrosí, si l' podremos falar.

[Melchior:]

Andemos tras el strela, veremos el logar.

[Baltasar:]

¿Cúmo podremos provar si es homne mortal,
o si es rey de terra o si celestrial?

[Melchior:]

¿Queredes bine saber cúmo lo sabremos?
Oro, mira y acenso a él ofreçremos:
si fure rey de terra, el oro querá;
si fure omne mortal, la mira tomará;
si rey celestrial, estos dos dexará,
tomará el encenso que l' pertenecerá.

[Caspar y Baltasar:]

Andemos y así lo fagamos.

[ESCENA QUINTA]

[Caspar a Herodes:]

¡Sálvete el Criador, Dios te curie de mal!
Un poco te dizeremos, non te queremos ál.

[Melchior a Herodes:]

¡Dios te dé longa vita y te curie de mal!

[Baltasar a Herodes:]

Imos in romería aquel rey adorar
que es nacido in tirra; no l' podemos fallar.

[Herodes:]

¿Qué decides, ó ides? ¿A quín ides buscar?
¿De cuál terra venides, ó queredes andar?
Decidme vostros nombres; no m' los querades
[celar.

[Caspar:]

A mí dizen Caspar,
est'otro Melchior, ad aquest Baltasar.

[Baltasar:]

Rey, un rey es nacido que es senior de tirra,
que mandará el seclo en grant pace sines
[g[u]er[r]a.

[Herodes:]

¿Es así por vertad?

[Melchior:]

Sí, rey, por caridad.

[Herodes:]

¿Y cúmo lo sabedes?
¿Ya provado lo havedes?

[Melchior:]

Rey, vertad te dizremos,
que provado lo havemos.

[Caspar:]

Esto es grand ma[ra]vila;
un strela es nacida.

[Melchior:]

Sennal face que es nacido
y in carne humana venido.

[Herodes:]

¿Cuánto ý ha que la vistes
y que la percibistis?

[Baltasar:]

Tredze días ha,
y mais non haverá,
que la havemos veída
y bine percebida.

[Herodes:]

Pus andad y buscad
y a él adorad
y por aquí tornad.
Yo alá iré
y adoralo he.

[ESCENA SEXTA]

[Herodes, solo]

¡Quín vio numcas tal mal,
sobre rey otro tal!
¡Aún non só yo morto
ni so la terra pusto!
¿Rey otro sobre mí?
¡Numcas atal non vi!
El seglo va a çaga *,
ya non sé qué me faga.
Por vertad no lo creo
ata que yo lo veo.
Venga mio mayordoo[ma]
qui mios haveres toma.

[Sale el mayordomo.]

Idme por mios abades
y por mis podestades
y por mios scrivanos
y por meos gramatgos
y por mios streleros
y por mios retóricos.
Dezirm' han la vertad, si yace in escripto,
o si lo saben elos o si lo han sabido.

[ESCENA SÉPTIMA]

[Salen los sabios de la corte.]

[Los sabios:]

Rey, ¿qué te plaze? Henos venidos.

[Herodes:]

¿Y traedes vostros escriptos?

[Los sabios:]

Rey, sí, traemos
los mejores que nos havemos.

[Herodes:]

Pus catad,
dezidme la vertad,
si es aquel omne nacido
que estos tres rees m'han dicho.
Dí, rabí, la vertad, si tú lo has sabido.

[El rabí:]

Po[r] veras vo[s] lo digo
que no lo [fallo] escripto.

[Otro rabí al primero:]

¡Hamihalá *, cúmo eres enartado!
¿Por qué eres rabí clamado?
Non entendes las profecías,
las que nos dixo Jeremías.

¡Par mi ley, nos somos erados!
¿Por qué non somos acordados?
¿Por qué non dezimos vertad?

[Rabí primero:]

Yo non la sé, par caridad.

[Rabí segundo:]

Porque no la havemos usada
ni en nostras vocas es falada.

GOMEZ MANRIQUE

LA REPRESENTAÇION DEL NASÇIMIENTO DE NUESTRO SEÑOR, A INSTANÇIA DE DOÑA MARIA MANRIQUE, VICARIA EN EL MONESTERIO DE CALABAÇANOS, HERMANA SUYA

Lo que dize Josepe, sospechando de Nuestra Señora:

¡O viejo desventurado!
Negra dicha fue la mía
en casarme con María
por quien fuesse desonrado.
Yo la veo bien preñada;
no sé de quién nin de cuánto.
Dizen que d'Espíritu Santo,
mas yo d'esto non sé nada.

La oraçión que faze la Gloriosa:

¡Mi solo Dios verdadero,
cuyo ser es inmovible,
a quien es todo posible,
fáçil e bien fazedero!
Tú que sabes la pureza
de la mi virginidad,
alunbra la çeguedad
de Josep e su sinpleza.

El ángel a Josepe:

¡O viejo de munchos días,
en el seso de muy pocos,
el prinçipal de los locos!
¿Tú no sabes que Isaías
dixo: «Virgen parirá»,
lo cual escrivió por esta
donzella gentil, onesta,
cuyo par nunca será?

La que representa a la Gloriosa,
cuando le dieren el Niño:

Adórote, rey del çielo,
verdadero Dios e onbre;
adoro tu santo nonbre,
mi salvaçión e consuelo.
Adórote, fijo e padre,
a quien sin dolor parí,
porque quesiste de mí
fazer de sierva tu madre.
Bien podré dezir aquí
aquel salmo glorioso
que dixe, fixo preçioso,
cuando yo te conçebí:
que mi ánima engrandeçe *
a ti, mi solo señor,
y en ti, mi salvador,
mi spíritu floreçe.
Mas este mi gran plazer
en dolor será tornado,
pues tú eres enbiado
para muerte padeçer
por salvar los pecadores,
en la cual yo pasaré,

non menguándome la fe,
inumerables dolores.
Pero, mi preçioso prez,
fijo mío muy querido,
dame tu claro sentido
para tratar tu niñez
con devida reverençia,
e para que tu pasión
mi femenil coraçón
sufra con muncha paçiençia.

La denunciación del ángel a los pastores

[El ángel:]

Yo vos denunçio, pastores,
qu'en Bellén es oy naçido
el Señor de los señores,
sin pecado conçebido.
E por que non lo dudedes,
id al pesebre del buey,
donde çierto fallaredes
al prometido en la ley.

El un pastor:

Dime tú, ermano, di,
si oíste alguna cosa,
o si viste lo que vi.

El segundo:

Una gran boz me semeja
de un ángel reluziente
que sonó en mi oreja.

El terçero:

Mis oídos han oído
en Bellén ser esta noche
nuestro Salvador naçido.
Por ende dexar devemos
nuestros ganados e ir
por ver si lo fallaremos.

Los pastores veyendo al glorioso Niño:

Este es el Niño eçelente
que nos tiene de salvar.
Ermanos, muy omilmente
le lleguemos [a] adorar.

La adoraçión del primero:

Dios te salve, glorioso
infante santificado,
por redemir enbiado
este mundo trabajoso.
Dámoste grandes loores
por te querer demostrar
a nos, míseros pastores.

[La adoraçión] del segundo:

Sálvete Dios, Niño santo,
enbiado por Dios Padre,
conçebido por tu madre
con amor e con espanto.
Alabamos tu grandeza
qu'en el pueblo d'Irrael
escogió nuestra sinpleza.

[La adoraçión] del terçero:

Dios te salve, Salvador,
onbre que ser Dios creemos.
Munchas graçias te fazemos
porque quesiste, Señor,
la nuestra carne vestir,
en la cual muy cruda muerte
has por nos de reçebir.

Los ángeles:

Gloria al Dios soberano
que reina sobre los çielos,
e paz al linaje umano.

San Gabriel:

Dios te salve, gloriosa,
de los maitines estrella,
después de madre donzella,
e antes que fija esposa.
Yo soy venido, señora,
tu leal enbaxador,
para ser tu servidor
en aquesta santa ora.

San Miguel:

Yo, Micael, que vençí
las huestes luçiferales,
con los coros çelestiales
que son en torno de mí,
por mandado de Dios Padre
vengo tener compañía
a ti, beata María,
de tan santo Niño madre.

San Rafael:

Yo, el ángel Rafael,
capitán d'estas cuadrillas,
dexando las altas sillas,
vengo a ser tu donzel,
e por fazerte plazeres,
pues tan bien los mereçiste,
¡o María, Mater Criste,
bendicha entre las mugeres!

Los martirios que presentan al Niño

El cáliz

¡O santo Niño naçido
para nuestra redençión!
Este cáliz dolorido
de la tu cruda pasión
es neçesario que beva
tu sagrada magestad,
por salvar la umanidad
que fue perdida por Eva.

El astelo e la soga

E será en este astelo
tu cuerpo glorificado,
poderoso rey del çielo,
con estas sogas atado.

Los açotes

Con estos açotes crudos
ronperán los tus costados
los sayones muy sañudos
por lavar nuestros pecados.

La corona

E después de tu persona
ferida con deçeplinas,
te pornán esta corona
de dolorosas espinas.

La cruz

En aquesta santa cruz
el tu cuerpo se porná.
A la ora no havrá luz
e el tenplo caerá.

Los clavos

Con estos clavos, Señor,
te clavarán pies e manos.
Grande pasarás dolor
por los míseros umanos.

La lança

Con esta lança tan cruda
foradarán tu costado,
e será claro sin duda
lo que fue profetizado.

Canción para callar el Niño

Callad, fijo mío
chiquito.
Calladvos, Señor,
nuestro Redentor,
que vuestro dolor
durará poquito.

Angeles del cielo,
venid dar consuelo
a este moçuelo
Jesús tan bonito.
Este fue reparo,
aunqu'el costo caro,
d'aquel pueblo amaro
cativo en Egito.
Este santo dino,
Niño tan benino,
por redemir vino
el linaje aflito.
Cantemos gozosas,
ermanas graçiosas,
pues somos esposas
del Jesú bendito.

GOMEZ MANRIQUE

[LAMENTACIONES] FECHAS PARA LA SEMANA SANTA

[Nuestra Señora:]

¡Ay dolor, dolor,
por mi fijo y mi Señor!

Yo soy aquella María
del linaje de David.
Oíd, señores, oíd,
la gran desventura mía.
¡Ay dolor!

A mí dixo Gabriel
qu'el Señor era comigo,
y dexóme sin abrigo,
amarga más que la hiel.
Díxome qu'era bendita
entre todas las nacidas,
y soy de las afligidas
la más triste y más aflicta.
¡Ay dolor!

¡O vos, hombres que transistes
por la vía mundanal,
decidme si jamás vistes
igual dolor de mi mal!

Y vosotras que tenéis
padre, fijos y maridos,
acorredme con gemidos,
si con llantos no podéis.
¡Ay dolor!

Llorad comigo, casadas;
llorad comigo, doncellas,
pues que vedes las estrellas
escuras y demudadas,
vedes el templo rompido *,
la luna sin claridad.
Llorad comigo, llorad
un dolor tan dolorido.
¡Ay dolor!

Llore comigo la gente
de todos los tres estados,
por lavar cuyos pecados
mataron al inocente,
a mi fijo y mi señor,
mi redentor verdadero.
¡Cuitada! ¿Cómo no muero
con tan estremo dolor?
¡Ay dolor!

Lamentación de San Juan

¡Ay dolor, dolor,
por mi primo y mi Señor!

Yo soy aquel que dormí *
en el regazo sagrado,
y grandes secretos vi
en los cielos sublimado.

Yo soy Juan, aquel privado
de mi Señor y mi primo;
yo soy el triste que gimo
con un dolor estremado.
¡Ay dolor!

Yo soy el primo hermano
del facedor de la luz,
que por el linage humano
quiso sobir en la cruz.
¡O, pues, ombres pecadores,
rompamos nuestros vestidos!
¡Con dolorosos clamores
demos grandes alaridos!
¡Ay dolor!

Lloremos al compañero
traidor porque le vendió.
Lloremos aquel cordero
que sin culpa padesció.
Luego me matara yo,
cuitado, cuando lo vi,
si no confiara de mí
la madre que confió.
¡Ay dolor!

Estando en el agonía
me dijo con gran afán:
«Por madre ternás, tú, Juan,
a la Santa Madre mía».
¡Ved qué troque tan amargo
para la madre preciosa!
¡Qué palabra dolorosa
para mí de grande cargo!
¡Ay dolor!

Hablando con la Magdalena dice:

¡O hermana Madalena,
amada del Redentor!
¿Quién podrá con tal dolor
remediar tan grave pena?
¿Cómo podrá dar consuelo
el triste desconsolado
que vido crucificado
al muy alto rey del cielo?
¡Ay dolor!

Hablando con Santa María dice:

¡O Virgen Santa María,
Madre de mi Salvador!
¡Qué nuevas * de gran dolor
si podiese vos diría!
Mas, ¿quién las podrá decir,
quién las podrá recontar,
sin gemir, sin sollozar,
sin prestamente morir?
¡Ay dolor!

Responde Nuestra Señora Santa María, y dice:

Vos, mi fijo adotivo,
no me fagáis más penar.
Decidme sin dilatar
si mi redentor es vivo,
que las noches y los días,
si d'El otra cosa sé,
nunca jamás cesaré
de llorar con Jeremías.

Responde San Juan, y dice:

Señora, pues de razón
conviene que lo sepáis,
es menester que tengáis
un muy fuerte corazón;
y vamos, vamos al huerto,
do veredes sepultado
vuestro fijo muy preciado
de muy cruda muerte muerto.

ALONSO DEL CAMPO

AUTO DE LA PASION

[ESCENA PRIMERA: LA ORACIÓN EN EL HUERTO]

Al oratorio del huerto. Primera oración del huerto.

Amigos míos, aquí esperad
mientras entro a orar al huerto,
que mi ánima es triste hasta la muerte
que yo he de pasar muy fuerte,
e mi cuerpo está gimiendo
y mi coraçón desfallesçiendo.
Velad comigo, mis amigos,
no me seáis desconoçidos.

Aquí se apartará y hincará las rodillas y diga al Padre:

Padre mío piadoso,
oye la mi oraçión
y dale, Señor, reposo
[a] aquel dolor temeroso
que cerca mi coraçón.
Hazme, Señor, consolado
que tengo fatiga fuerte,
que me siento muy turbado,
que me tiene atribulado
el angustia de la muerte.

Otra [copla]:

Por enojo que tomaste
de la injuria a ti hecha
en el mundo me enbiaste
y mandaste y ordenaste
fuese por mí sastifecha.
Y vista tu voluntad,
obedesçí tu mandado,
y en servir muy de verdad
a tu alta magestad
sienpre he tenido cuidado.

Otra [copla]:

Pero la muerte presente
y las ansias y temor
qu'esta carne triste siente,
me aquexa muy bravamente
que te suplique, Señor.
Si a ti plaze otra cosa
por tu infinita bondad,
ves aquí no perezosa
esta mi carne medrosa,
cúnplase tu voluntad.

Aquí se devantará y irá a los disçípulos y dirá:

Nunca podisteis velar
una sola ora comigo.
Amigos, quered orar
y bien despiertos estar
por que sienta yo lo que digo.

Un escándolo havréis fuerte,
por ende estad contenplando
y vuestro seso despierte,
que la ora de mi muerte
sabed que se va açercando.

Torna aora la segunda vez y dirá:

Padre, no sé yo qué haga,
pues mandas que muera yo,
queriendo que sastifaga
aquella incurable llaga
qu'el primer padre dexó.
Mas pues tanta crueldad
mi ánima triste hiere,
si manda tu magestad,
cúnplase tu voluntad,
que la mía eso quiere.

Aquí bolverá a los discípulos y mirallos ha cómo están durmiendo y callará y bolverse ha a orar la terçera vez y diga:

Padre, si has ordenado
que de todo en todo muera,
que se cunpla tu mandado,
pues ser por ti remediado
el linaje umano espera.

*Aquí parescerá luego ell ángel teniendo las ensinias de la Pasión * y mostrará cada una por sí a su tiempo.*

[El ángel:]

Señor, tu Padre te oyó
desde tu primer rogar

y nunca te respondió
porque medio no halló
para remedio te dar,
que bien deves Tú saber
que fue, Señor, tu venida
para muerte padesçer
y con ella guaresçer
toda la gente perdida.

Sofrirás mucha tristura,
desonras de gran pesar,
¡O divina hermosura!,
qu'este cáliz d'amargura
en ti s'ha d'esecutar.
Serás, Señor, acusado
de falsas acusaçiones,
açotado y coronado
y después cruçificado
en medio de dos ladrones.

Primero serás prendido
de los que hoviste enseñado,
de los cuales escopido
has de ser y escarneçido
y cruelmente ofensado
de los judaicos varones.
Sofrirás a sinrazón
mill cuentos de sinrazones,
porque infinitas pasiones
consiste en tu Pasión.

Respuesta de Nuestro Señor al ángel:

¡O mensajero del çielo!
¡Cuánto ha que te esperava
mi penado desconsuelo,

pensa[n]do que tu consuelo
fuera cual yo deseava!
Aunque en saber dó saliste,
gran consuelo tengo yo,
pero aquella nueva triste
q[u]'en llegando me dixiste
el coraçón me quebró.

El ángel a Nuestro Señor:

Verdad es que Tú serás
a sin culpa condenado,
mas así redemirás
con tu muerte cuantos has
para ti y por ti criado,
que, Señor, si no criaras
los prim[er]os que heziste,
cosa d'éstas no pasaras
ni mucho menos gustaras
paso tan amargo y triste.

Nuestro Señor al ángel:

Angel, mucho t'encomiendo
que le digas a mi Padre,
(porque mi muerte sabiendo
será su bevir muriendo),
que no olvide aquella Madre,
que pensando su pasión
la muy grande mía olvido;
tengo muerta la razón
y tengo mi coraçón
en fuego d'amor ardido.

Ell ángel:

Señor, bien sabes que los santos
padres que en el linbo están,
sus tormentos y sus llantos,
dolores y males tantos
con tu Pasión çesarán.
Y dízete que El hará
lo que más le encomiendas,
que tu Madre mirará
y tus siervos guardará
como Tú ge lo ruegas.

Nuestro Señor a los diçípulos:

Pues veis que no se mejora
este través qu'esperamos,
ya más no nos detengamos.
Devantaos, amigos, vamos,
que ya es llegada la ora
para que el Hijo de Dios
resçiba inmensos dolores
por el pecado de dos, *
al cual verrés puesto vos
oy en manos de traidores. *

[ESCENA SEGUNDA: EL PRENDIMIENTO]

[Nuestro Señor:]

Amigos, y ¿qué hazés
que tan gran sueño tenés?
Devantadvos y andemos,
que no es tienpo que aquí estemos,
que yo de verdad vos digo

que aquel que me trae a la muerte
aína será comigo.

Aquí vendrá Judas.

[Judas:]

Sienpre hayas tú salud,
rabí santo de virtud.
Viéneme a la voluntad
que te querría besar;
besarte quiero, Señor,
que eres mi Dios y mi criador.

El Ihesu:

Amigo, esa tu color,
¡cómo le traes demudada!
Si tú vienes con amor,
tu ánima es perturbada.

Judas:

Señor, yo te vengo a besar
y a darte paz en la boca.
Mi devoçión no es poca,
luego quiero començar.
Besarte quiero, Señor,
qu'eres mi criador.

El Ihesu:

Pláceme de te besar.
Yo bien sé la tu falsía,
que vienes a perturbar
la mi santa conpañía.

Judas a los judíos:

Amigos, caede aquí
al cruel onbre tirano
que por dineros vendí.
Id luego, y echadle la mano,
y de tal manera lo atad,
que [no] se os pueda soltar,
que si se os va d'entremanos,
non lo havrés d'aquí a çien años,
y dalde mala ventura
que bien lo meresçe por su locura.

[ESCENA TERCERA: LA NEGACIÓN DE PEDRO]

[Sant Pedro:]

Señora, por Dios os ruego
me dedes algún lugar
a llegarme [a] aquese fuego,
que me querría escalentar,
que yo no puedo pasar
el grande frío que faze.
Declaradme si os plaze
de me dar este lugar.

La ançilla:

Tú d'aqueste onbre eras,
que no lo puedes negar.
Yo lo veo en tus maneras;
y te lo quiero provar.
Si te quisiese acusar
al que la oreja cortaste,
aquesto solo te baste
para te hacer matar.

Sant Pedro:

Nunca yo lo conosçí
ni con él huve notiçia,
pero soy venido aquí
por mirar esta justiçia.

La ançil[l]a:

Yo te vi en el huerto
cuando sacaste el cuchillo.
Por ello deviés ser muerto,
si curase de dezillo.

Sant Pedro:

Agora vengo de Betania,
así Dios sea por mí.
Nunca anduve en su conpaña
ni tal onbre conosçí.

La ançilla:

Yo t'he visto cada día
este onbre aconpañar,
departiendo la eregía
qu'él solía predicar.

Sant Pedro:

Yo te juro por Dios bivo
con tal onbre nunca anduve,
y otra vez su nombre juro;
si no, El nunca me ayude.
Y por que nadie no dubde,
quítame la vestidura,

si queréis que me desnude
como onbre sin ventura.

Aquí cantará el gallo.

[ESCENA CUARTA: PLANTO DE SAN PEDRO]

El planto

Sant Pedro:

¡Ay cuitado pecador!
¿Qué haré, desanparado?,
pues negué tan buen Señor,
mucho me siento culpado.
¿Cuándo seré perdonado
d'este pecado tan fuerte?,
pues que le tratan la muerte
que muera cruçificado.
¡Ay dolor!

El me dixo así cuitado
cuando a su mesa comía,
que antes del gallo cantado,
tres vezes lo negaría.
Dixe que tal no haría,
aunque supiese ser muerto.
Fuímosnos luego al huerto,
viendo que el tienpo venía.
¡Ay dolor!

En breve hovieron llegado
en harta de ora poca
con Judas el renegado
y otra conpaña loca,

y dióle paz en la boca
por que viesen que era el Ihesu.
Tomáronlo luego preso
con reverencia muy poca.
¡Ay dolor!

Començaron de avatillo
a poder de pescoçadas,
dando fuertes bofetadas
en su presçioso carrillo.
Saqué luego mi cuchillo
con la gran cueita sobeja,
y corté a Marco la oreja, *
no pudiendo más sofrillo.
¡Ay dolor!

Al que yo corté la oreja
vino luego el Redentor.
Púsogela muy pareja,
como alto savedor.
Tomaron luego al Señor;
lleváronlo cas de Anás.
De los suyos ya no hay más,
sino Juan e yo pecador.
[¡Ay dolor!]

Desque lo hovieron metido
do avía de ser juzgado,
yo quedé fuera cuitado
y no fuese conosçido.
Y después que Juan me vido,
una muger fui rogar
que me dexase entrar
porque fezía gran frío.
¡Ay dolor!

Entrando de presente,
fuime a sentar al fuego.
Ella preguntóme luego
si era d'aquel maldiziente.
Yo juré muy falsamente
que no sabía quién era,
y salíme luego fuera,
llorando de continente.
¡Ay dolor!

Como onbre muy culpado
puse en tierra los finojos,
con lágrimas de mis ojos
maldiziendo mi pecado
dezía desmanparado,
cuando en esta sazón
si no me enbía perdón
el que de mí fue negado.
¡Ay dolor!

El me dixo, así cuitado:
«Cata, Pedro, qué heziste.
Mas, por que no quedes triste,
todo te sea perdonado.
E luego no seas tardado,
faz penitencia d'aquesto
pues que Ihesu, tu maestro,
ha de ser cruçificado».
[¡Ay dolor!]

Estando muy afinado
llamándome pecador,
vi sacar muy desonrado
al mi presçioso Señor.
El mostróme tanto amor
con cuanta pena llevava;

dixo que me perdonava,
haviendo de mí dolor.
[¡Ay dolor!]

[ESCENA QUINTA: PLANTO DE SAN JUAN]

Planto

Sant Juan:

Señor buen Ihesus amado,
de los buenos bien querido,
yo Juan el desanparado
a hazer planto soy venido
por la muerte que os ha dado
vuestro pueblo el descreído.
¡Ay dolor!

Por hartarme de llorar,
y todos lloren comigo,
contar quiero vuestro mal,
Señor, que vos es venido:
los judíos con maldad
a la muerte vos han traído.
[¡Ay dolor!]

Estando en el huerto orando
como solíades hazer,
al vuestro Padre rogando
que vos quisiese valer,
el pueblo vino raviando,
Señor mío, a vos prender.
¡Ay dolor!

Judas venía delante,
que no se quedava atrás,

corriendo como gigante,
Señor, por ver vuestra faz,
y el traidor con mal semblante
saludóvos y dio's paz.
¡Ay dolor!

Soga a la garganta atada
como a ladrón vos echaron,
e muy fuerte apretada
a las manos vos ataron,
y con muchas bofetadas
vuestra cara demudaron.
¡Ay dolor!

Ante Anás vos llevaron
do mucho mal vos fizieron,
e a Caifás vos presentaron
do vos escarnesçieron.
Fasta Pilato non çesaron
que vos matasen le pidieron.
¡Ay dolor!

Por una sola palabra
que delante Anás dexistes,
uno de la gente armada
a quien tanto bien hezistes
dióvos una bofetada
que de los ojos non vistes.
¡Ay dolor!

Señor, desque esto fue hecho,
mayor mal vos ordenaron.
Los traidores con despecho
a Pilato vos levaron.
A tuerto e a sin derecho
falsas cosas vos acusaron.
¡Ay dolor!

Pilato con vos fabló
por mejor se informar
de la verdad, e no halló
por qué vos hoviese de matar.
A un poste vos ató
e vos fizo açotar.
¡Ay dolor!

Desque fustes açotado
y llagada vuestra persona,
por que fuésedes más penado,
según mi dicho razona,
en vuestra cabeça hovo asentado
d'espinas fuerte corona.
¡Ay dolor!

Desde fustes coronado,
Señor mío, cruelmente,
a Erodes vos hovo enbiado
por vos dar pena más fuerte,
pues Erodes puso juzgado *
que vos condenase a la muerte.
¡Ay dolor!

Herodes vos preguntara,
Señor Ihesu, asaz razones.
Desque vido que no hallara
en vos malas presunçiones,
a Pilato vos tornaron,
viendo las sus intinçiones.
¡Ay dolor!

Señor, ¿quién podría contar,
andando estas jornadas,
que tal vos fueron parar
de açotes e bofetadas,
e vuestras barvas mesadas

a muy grandes pulgaradas?
¡Ay dolor!

Pilatos, [con] gran temençia *
que le irían a mesclar,
diera contra vos sentençia
que vos llevasen a matar
y sin ninguna conçiencia
en la cruz cruçificar.
¡Ay dolor!

La sentençia ya leída,
los judíos descreídos
con alegría conplida
davan grandes apellidos.
Dezía[n]: «La nuestra vida
es ya quitada de ruidos».
[¡Ay dolor!]

[Escena sexta: Sentencia de Pilatos]

Sentencia

Yo Pilato adelantado,
de Iherusalem regidor,
en justiçia delegado
por mi señor el enperador,
vistas las acusaçiones
contra Ihesu de Nazaret
e por legítimas informaçiones
que son hechas contra El:
Este se llamava rey
con título de reinado,
hordenando la su ley
por que le acusan este pecado.
En casa de Architeclino

do mucha gente comía,
fizo de el agua vino
con mal arte que sabía.

A María Magdalena
aquéste la perdonó,
estando a la çena,
porque los sus pies lavó.

A Lázaro su hermano
de cuatro días podrido
aquéste lo resuçistó,
que todo el mundo lo vido.

A un çiego que no viera
a la ora que lo llamó,
con un poco de lodo que fiziera
la su vista le tornó.

A Simeón que era plagado
sanóle su gafedad.
Resusçitó un moço qu'era finado
a la puerta de la çibdad.

En el tenplo este otro día
desonró a los saçerdotes;
con muy grande osadía
lançólos fuera [a] açotes,

e otras muchas maldades
qu'este onbre tiene fecho.
Según qu'estas cosas,
yo hallo segund derecho
que lo condeno a la muerte,
muy desonrado
e cruelmente penado.

E so protestación que hago,
si Ihesu culpa non hoviere,
a mí non sea demandado
adoquier que yo estudiere.

E hallo contra mi voluntad

que Ihesu deve ser muerto,
e su muerte sea tal:
en una cruz enclavado e puesto,
e sea luego llevado
al monte Calvar,
donde es acostunbrado
de los malos fechores matar.

E después d'allá llegado,
por su grande atrevimiento
que sea cruçificado
sin ningún detenimiento,
e sea enclavado
con dos clavos en las sus manos
con otro a los pies entramos,
e qu'esté así enclavado
en la cruz hasta que muera.
E después que sea pasado
d'esta vida umana,

por que así penado muera
e su mal hecho con El,
e la gente así lo vea,
e sean castigados en El,

por que otro no cometa
rey del pueblo se llamar,
ca por esta vía derecha
es devido de castigar.

E manden a vos don Çenturio,
como justiçia e onrado,
que vayades con El luego
a la cruz cruçificallo,

e llevad dos pregoneros
por mi mandado secutado
por que este pueblo parrero *
non tenga que só de su vando.

E dende non vernedes

hasta que haya dado su espíritu,
porque a César fe daredes
de la justiçia que havedes visto.
E llevadlo por esa çibdad
por las calles acostumbradas
por que se publique su maldad
a las gentes que tenía engañadas,
pues del enperador tengo liçençia
para hazer justiçia,
ansí lo pronunçio por mi sentençia
que muere por su maliçia.

[ESCENA SÉPTIMA: NUESTRA SEÑORA Y SAN JUAN]

Sant Juan a Nuestra Señora diga:

Levantadvos dende, Señora,
e andad luego comigo,
que non sabedes vos agora
el mal que vos es venido.
El vuestro Hijo mucho amado
los judíos le prendieron
e hanlo tanto atormentado
fasta en cruz lo poner,
e llagáronlo atán fuerte
que non vos lo puedo contar,
e fasta le dar la muerte
allá en el monte Calvar.

Nuestra Señora a Sant Juan rezado: *

Sobrino Juan, ¿qué cosa es ésta
que me vienes a dezir?,
que la mi alma es dispuesta
para de mi carne salir;
mas no sé si creería
que al mi Hijo tal hiziesen,

e ninguno non plasaría
que la tal muerte le diesen.

Sant Juan. La Madalena

¡Qué mal recabdo posistes
en vuestro Hijo, Señora!
¡O qué gran crueldad, Señora!
Rastro claro ha[l]larés
por el cual mi alma llora,
que su sangre es guiadora
y por ella os g[u]iarés,
porque tanta le han sacado
los que oy le atormentaron,
que por doquier que ha pasado
todo el suelo está vañado
fasta donde lo pararon.

[Escena octava: Planto de Nuestra Señora]

Nuestra Señora:

Amigas, las que paristes,
ved mi cuita desigual,
las que maridos perdistes,
que amastes y quesistes,
llorad comigo mi mal.
Mirad si mi mal es fuerte;
mirad qué dicha la mía;
mirad qué captiva suerte,
que le están dando la muerte
a un Hijo que yo tenía.
Vos nunca a nadie enojastes,
Hijo, colupna del templo.
Sienpre los buenos amastes;
sienpre, Hijo, predicastes
doctrinas de gran exenplo;

sienpre, Hijo, fue hallada
en vuestra boca verdad.
¿Por qué's así tractada
vuestra carne delicada
con tan grande crueldad?

¡O imajen a quien solién
los ángeles adorar!
¡O mi muerte agora veen!
¡O mi salud y mi bien!
¿Quién vos pudo tal parar?
¡O que tanbién me viniera!
¡O que tanbién yo librara
que d'este mundo saliera
antes que yo tal os viera
por que nunca así os mirara!

¡O Hijo, rey de berdad!
¡O gloriosa exçelençia!
¿Cuál dañada voluntad
tubo tanta crueldad
contra tan grande paçiençia?
¡O rostro abofetado!
¡O rostro tan ofendido!
¡O rostro tan mesurado!,
más para ser adorado
que para ser escopido.

¡O sagrada hermosura
que así se pudo perder!
¡O dolorosa tristura!
¡O madre tan sin ventura
que tal has podido ver!
¡O muerte que no me entierra,
pues que d'ella tengo hanbre!
¡O cuerpo lleno de guerra!
¡O boca llena de tierra!
¡O ojos llenos de sangre!

AUTO DE LA HUIDA A EGIPTO

[ESCENA PRIMERA]

El ángel a Josepe:

Josepe, si estás durmiendo,
despierta y toma el cayado,
que por Dios te es mandado
que luego vayas huyendo.
Ha de ser d'esta manera:
Josepe, de Dios vendito,
que no pares hasta Egito
ni quedes en otra tier[r]a.
Dios manda que allá vayái[s];
El quiere que allí moréis,
que por mí çierto sabréis
cuándo cumple que bolváis.
Levantaos, viejo, priado,
començad a caminar,
que a Dios piensa de matar
el falso Erodes malvado.

[Escena segunda]

Josepe a Nuestra Señora:

Dios, por su ángel, dezía
que vamos a tier[r]a agena
(no resçiváis d'esto pena,
esposa y señora mía),
y dize que allí moremos,
que El nos inviará dezir
el tiempo para venir,
y que alegres volveremos.

Nuestra Señora a Josepe:

Señor esposo, vayamos;
cumplamos su mandamiento;
con la obra y pensamiento
a Dios siempre obedescamos.
Esta noche nos partamos,
dester[r]ados de Judea,
pues Dios quiere que así sea,
a El plega que volvamos.

[Escena tercera]

Pártense y llama Josepe al ángel que los guíe:

Angel, tú que me mandaste *
de Judea ir a Egito,
guíanos con el chiquito.
Guía al hijo y a la madre,
guía al biejo pecador,
que se parte sin temor
adonde manda Dios Padre.

Y pues al niño bendito
y a nosotros tú sacaste,
ángel, tú que me mandaste
de Judea ir a Egito,
guíanos con el chiquito. *

El ángel a Josepe:

A quien çielo y tier[r]a adora,
¿quién le podría guiar?
Por do os quisiere levar
caminad con la señora.

Prosig[u]e el ángel:

Es verdadera car[r]era,
es eterno, es infinito.
El os levará a Egito;
El os volverá a esta tier[r]a.

Oyendo Josepe al ángel, va cantando este villançico:

Andemos, señora, andemos,
o, si manda, descansemos.
No me carga mi çur[r]ón;
no he menester mi cayado,
que de Dios soy consolado,
libre de toda pasión.
Pues que muestra redençión
con nosotros la traemos,
andemos, señora, andemos,
o, si manda, descansemos.
El descanso verdadero
es nuestro hijo precioso.
Este es Dios poderoso;
éste es el manso cordero,

En la su piedad espero
que muy presto volveremos.
Andemos, señora, andemos,
o, si manda, descansemos.

[ESCENA CUARTA]

Prosig[u]e Josepe:

Los tigres y los leones
se umilian al poderoso,
y en este valle fragoso
nos cercaron tres ladrones.
A la Virgen quitan el manto,
a mí la capa y çur[r]ón.
Desnudan al niño sancto;
déxanle en un camisón.
El viejo y dos hijos suyos,
ladrones que nos rovaron,
viéndote, ellos confesaron
los altos secretos tuyos.
Y un hijo d'este ladrón,
de tu graçia inspirado,
quesiste fuese salvado
en el día de la Pasión.

El ladrón moço a Christo:

De ti, niño, veo salir
atán grande resplendor,
que me pone tal temor,
cuanto no puedo dezir.
Y, según pienso y entiendo,
eres el sancto Mexías,
que las sanctas profeçías
veo que se van cumpliendo.

Pónense de rodillas los tres ladrones y dizen a Nuestra Señora:

Ladrones somos provados,
señora, ya lo savéis;
al niño vo[s] supliquéis
que seamos perdonados.
Queremos restituir
lo que a vos hemos tomado.
Si queréis de lo hurtado,
con vos queremos partir.

Nuestra Señora a los ladrones:

Dizen que es viçio hurtar;
vos lo savéis, que lo usáis.
Mas si d'ello os apartáis,
Dios os quer[r]á perdonar.
El por su misericordia
os aparte d'este viçio;
travajá en algún ofiçio
por que alcançéis su gloria.

[ESCENA QUINTA]

San Juan pide liçencia a sus padres:

Padre mío, Zacarías,
señor, dé vuestra liçençia,
y vos, madre, haved paçiençia
ora por algunos días.
Pido licencia a los dos,
que mi coraçón desea
apartarme de Judea
hasta que a ella vuelva Dios.

Zacarías a San Juan:

Hijo, la buestra niñez
no os engaña, según creo.
Naçistes en gran deseo
por consolar mi vejez.
Y, pues me queréis dexar
por ir buscar al Mexías,
El prospere buestros días,
El os quiera acá tornar.

Sancta Isabel a San Juan:

La graçia de Dios tamaña,
hijo mío, con vos sea.
De Egito para Judea
vienen por esta montaña.
Si alguno vierdes pasar
que venga por esta vía,
al Jesú y a la María
me inviaréis a saludar.

[ESCENA SEXTA]

El peregrino viene de Egito y dízele San Juan:

Amigo, ¿dónde venís?
Parecéisme fatigado.

Peregrino:

Así es, como dezís;
de Egipto vengo cansado.

San Juan:

¿Para dónde havéis camino?
¿Para adónde es vuestra vía?

Peregrino:

Soy de Egipto peregrino,
a Judea vo en romería.

[San Juan:]

Si tuviese pan o vino,
por çierto dároslo ía.

[Peregrino:]

Pues, dezime, ¿qué coméis
en esta fiera montaña?

[San Juan:]

La gracia de Dios tamaña
me sostiene, como veis.

[Peregrino:]

Dezime, ¿con esa graçia
sin comer os sostenéis?

[San Juan:]

Como las yervas que veis
y en invierno de la laçia.

[Peregrino:]

Tenéis vida muy cruel
en comer yerva del campo.

[San Juan:]

Otras vezes como miel
que a las colmenas ar[r]anco.

[Peregrino:]

Tornárseme ía hiel
el comer sin pan y vino.

[San Juan:]

Al que Dios hiziere digno
vien podrá pasar sin él.

[Peregrino:]

No viviría como vos
sin comer pan sólo un día.

[San Juan:]

Estoy esperando a Dios,
que allá en Egipto seeía.

[Peregrino:]

¿Cómo? ¿El buestro Mexías
savéis que al mundo es venido?

[San Juan:]

En Velén El fue nasçido;
críase donde venías.

[Peregrino:]

Tú dame las señas d'El;
quiero volver a buscalle.

[San Juan:]

De una virge[n] nasçió,
desposada con un viejo.

[Peregrino:]

Vien creo que en mi conçejo
todos tres los dexo yo.

[San Juan:]

La madre llaman María,
al niño, sancto Jesú.

[Peregrino:]

Esos que me dizes tú,
yo muy vien los conosçía.

[San Juan:]

Así Dios te dé alegría,
que me cuentes cómo están.

[Peregrino:]

No les falta vino y pan;
la dueña les mantenía.

[San Juan:]

Dime, ermano, ¿qué hazía
o a qué gana de comer?

[Peregrino:]

A hilar y a coser,
travajando noche y día.

[San Juan:]

¡O quién te viese Jesú!
¡O quién te viese María!

[Peregrino:]

¿Y al viejo quer[r]ías ver tú,
que Josepe se dezía?

[San Juan:]

Vien sé que los conosçías,
pues a Josepe has nonbrado.

[Peregrino:]

Pues me has encaminado,
¿qué me mandas que les diga?

[San Juan:]

Que al niño veso los pies
y a la virgen consagrada.

[Peregrino:]

¿Y al viejo no dizes nada?
Tanvién creo que sancto es.

[San Juan:]

Encomiéndame a todos tres;
dales cuenta de mi vida.

[Peregrino:]

Adiós, hasta su venida,
que a la vuelta me verés.

[San Juan:]

Siempre sea en tu guía
aquel niño Dios y ombre.

[Peregrino:]

Pues dime, hermano, tu nonbre
para contalles tu afán.

[San Juan:]

Dios me puso nomb[r]e: Juan.
  Bautista seré llamado.

[Peregrino:]

Haz cuenta que me has salvado.
  Hermano, quédate a Dios.

[San Juan:]

El vaya siempre con vos.
y El os traya consigo.

[Peregrino:]

Adiós, Juan; adiós, amigo.
El haga salvos los dos.

[ESCENA SÉPTIMA]

Buélvese el peregrino a Egipto canta[ndo]:

  ¡O, qué gloria es la mía,
saver nueva del Mexía!
  Yo vi al sancto chiquito,
allá en mi tier[r]a de Egito,
tan perfecto y tan vonito,
cuanto dezir no savía.

¡O qué gran gloria la mía,
saver nueva del Mexía!
En llegando, ofresçerle he
la mi alma pecadora;
si quisiere la señora,
la mi casa le daré;
de buen grado dexaré
todo cuanto yo tenía
por andar con el Mexía.

[ESCENA OCTAVA]

En bolviendo a Egito, va [a] adorar a Dios.

[Peregrino:]

Adoro's, sancto Mexía,
y a la madre que os parió,
a la cual suplico yo
se vaya a la casa mía,
y por suya la resçiva,
y todo cuanto yo tengo,
y a mí, que a serviros vengo,
mientra quisierdes que viva.
Un mançevo que hallé
en una fiera montaña,
aquel que en gloria se vaña
en predicar vuestra fe,
al que diste nonbre «Juan»,
os espera en una sier[r]a,
dándose vida muy fiera
sin carne, vino ni pan.
Al niño vesa los pies.
Muchas encomiendas trayo
de aquel descalço y sin sayo,
Virgen madre, a todos tres.

Las piedras rompen sus pies;
piel de camello vestía;
de yervas se mantenía,
como una bruta res.
En las cuevas se acogía,
como culebra o lagarto.
Tan contento está y tan harto,
como aquel que más tenía.
Virgen, si havéis plazer
de que aquí con vos yo viva,
si no, [a] aquella sier[r]a esquiva
con Juan me quiero volver.

Nuestra Señora al peregrino:

Vuélvete por do veniste;
vuelve y gusta aquel afán;
vuelve a consolar a Juan
y dile cómo nos viste.
Dile que presto hemos de ir
(no tardará nuestra ida),
y con él haz la tu vida,
hasta que nos veas ir.

[Escena novena]

Estando San Juan en su cueva, vio venir el peregrino y sale a resçevir diziendo:

Romerico, tú que vienes *
do el rey de la gloria está,
las nuevas d'El tú me da.
Mucho deseo saber
cuándo será su venida,
que, al tiempo de tu partida,

tú me huvieras de hazer
olvidar aquesta vida
y irle a buscar allá.
Las nuevas d'El tú me da.

Romero [= Peregrino]:

En tu tan sancto vivir
Dios manda que perseveres.
Dize, Juan, que aquí le esperes,
que muy presto ha de venir.
Y más te quiero dezir
qu'el mundo redimirá.
Tal nueva save de allá.

La madre estava cosiendo
y en la su halda tenía
aquel que el mundo regía;
con él se estava riyendo.
El viejo, según entiendo,
siempre adorándole está.
Tal nueva save de allá.

Prosig[u]e el peregrino:

A la Virgen y al chiquito
dize aquel su sancto padre,
que en el vientre de tu madre
adoraste al infinito. *
Y, pues eres d'El bendicto,
contigo estaré acá,
hasta que El venga de allá. *

Tiénete muy gra[n] de amor;
dize su pariente eres;
dize que de las mugeres
no nasçiera otro mayor. *

Dize que eres su vandera,
que levantes su pendón.
Inviate su vendiçión,
que aparejes su car[r]era. *

San Juan:

Romero, tú seas vendito
del Señor que te crió.
Gran deseo tenía yo
de ver alguno de Egito.

No sé con qué te sostenga,
si quieres aquí vivir.
Si quieres a Dios servir,
esperemos a que venga.

Prosigue el peregrino:

Save, Juan, que soy mudado,
que no soy quien ser solía.
Cuando vine en romería,
de tu vida fue espantado.

Ora sé que Dios es vida
y la su graçia es hartura.
Quedemos en la espesura
esperando su venida.

Vámonos [a] alguna cueva,
si la hay en la montaña,
que el diablo con su maña
tengo temor que me mueva.

Mil veces me ha tentado,
después que busqué a Dios.
Dezí, Juan, si osa a vos
tentaros aquel malvado.

San Juan:

A Jesú ha de tentar,
¡cuánto más a mí y a vos!
Acordaos siempre de Dios,
por que no os pueda engañar.
Començad a contemplar
en su sancta encarnaçión,
que por nuestra salvaçión
quiso la carne tomar.

Prosigue San Juan:

Muy contino hablaremos
en nuestra muy sa[n]cta fe,
y de espaçio os diré
lo que de creer tenemos.
Festejar quiero este día:
alguna miel comeremos,
y después contemplaremos
en nuestro santo Mexía.

Peregrino:

Para mejor dotrinarme,
Juan, de las yervas comamos
y, pues el mundo dexamos,
no quiero engolosinarme.
Era amigo de dulçores.
Mira, Juan, lo que te digo.
Después que topé contigo,
sólo en Dios hallo favores.

[ESCENA DÉCIMA]

El ángel a Josepe:

Buen viejo, de Dios amado,
Dios permite que así sea:
volveos para Judea,
que Erodes ya es finado.
Allí tenéis de tornar
a fenesçer buestros días,
y las sacras profeçías
allí se han de acavar.

[ESCENA UNDÉCIMA]

Josepe a Nuestra Señora:

Esposa, virgen y madre
del Señor que os ha criado,
saved que nos ha mandado
a Judea volver Dios Padre.
El ángel que nos mandó
que viniésemos acá,
él mesmo me apareşçió:
mándanos volver allá.

[ESCENA DUODÉCIMA]

A la buelta canta Josepe este villa[n]cico:

Alegrarte has, tier[r]a mía,
porque a visitarte va
el que te redimirá.
Alegraos, fuentes y ríos,
y los montes y collados;

trayan los campos y prados
frescas flores y ruçíos.
Cualquiera que en ti creía
con justa razón dirá:
Alegrarte has, tier[r]a mía,
porque a visitarte va
el que te redimirá.

INTERLOCUTORES SENEX ET AMOR MULIERQUE PULCRA FORMA

[Diálogo del viejo, el Amor y la hermosa]

[El viejo:]

¡O mundo, dime quién eres,
qu'es lo que puedes, qué vales,
con qué nos llevas do quieres,
siendo el fin de tus plazeres
principio de nuestros males!
¿Qu'es el cevo con qu'engañas
nuestra mudable afición?
Que con engañosas mañas,
al tiempo que tú t'ensañas
dexas preso el coraçón.

¿Con qué nos buelves y tratas,
abaxas y favoreces?
¿Con qué nos sueltas y atas?
¿Con qué nos sanas y matas,
nos alegras y entristeces?
¿Qu'es el secreto ascondido
tras quien todos nos perdemos?
¿Qu[i]eres, mundo entristecido,
que haga ser con[o]cido
el bien que de ti atendemos?

Es una esperança vana
do jamás falta querella,
que quien la pierde, la gana,
y el que la tiene más sana
está en miedo de perdella.
Es un penoso cuidado,
una ravia lastimera,
deseo desesperado
en los huesos sepultado
y en la frente escrito fuera.

Do jamás no se consiente
un momento de reposo,
y si por caso se siente
quien de tu bien se contente,
queda al fin muy más quexoso;
que los que más alcançamos
de tus promesas livianas
es que, cuando nos guardamos,
sin pensarlo nos hallamos
llenos de rugas y canas.

Estos son tus beneficios,
tus más crecidas mercedes
con que pagas los servicios
de los que a olor de tus vicios
van a caer en tus redes;
y después que con tus galas
has preso los que eran sueltos,
con ligero batir d'alas
como anguilla te resvalas,
y ellos se quedan rebueltos.

Yo hablo como quien sabe
todas tus faltas y sobras;
he visto lo qu'en ti cabe

y, si quieres que te alabe,
muda condición y obras;
que del bien tan prosperado
de que me heziste contento,
tus mudanças m'han dexado
solamente este cayado
con que mi vejez sustento.

El Amor:

¿Quién sta en casa?

El viejo:

¿Quién llama?

El Amor:

¡Abre!

El viejo:

¿Quién eres?

El Amor:

Amor.

El viejo:

¿Qué quieres?

El Amor:

A tu vida y fama.

El viejo:

Va con Dios, que ya tu llama
no me causa más dolor.
¡No sabes que ha muchos años
que de ti me hallo lexo?
Porque tus dulces engaños
me han fecho no menos dañ[os]
qu'el mundo de quien me quexo.

El Amor:

Desplázeme tu porfía,
no consiento tal olvido,
que no cabe en cortesía
desfazer la conpañía
después qu'es el pan comido.
Y pues eres bien criado,
no sigas villanos modos.
Abreme y, después d'entrado,
quexa el mal que t'he causado,
que justicia hay para todos.

El viejo:

Con[o]zco tu condición;
sonme claras tus cautelas;
sé que contra tu pasión
la justicia y la razón
muchas vezes calan velas.
No m'engaña el sobreescrito,
no tu ciencia, no tu arte,
aunque, como los de Egito, *
halagas el apetito
por hurtar por otra parte.

El Amor:

Sin razón usas comigo.
Trátasme como adversario,
y sabes bien que yo contigo
siempre usé cosas de amigo,
siendo en mi mano el contrario.
Ya tú llamaste a mi puerta
cuando estimavas mi gloria.
Fuete sin tardar abierta,
bien lo sabes, si no es muerta
con los años la memoria.

¡No seas desgradeci[d]o!
¡Pon a tu saña algún freno!
Y si estás endurecido,
mira que de onbre sabido
es seguir consejo ajeno.

El viejo:

Quiero querer lo que quieres
por que des fin a tus quexos,
mas, después que dentro fueres,
porque conozco quién eres,
salúdame desde lexos.

Que como, tocando, Mida
convertía en oro luego,
así tu mano encendida
cuanto toca en esta vida
haze convertir en fuego.
Pues si a mí no has de llegar,
entra, si entrar te plaze,
y sey breve en el hablar,
porqu'el mucho dilatar
es cosa que me desplaze.

El Amor:

Sálvete Dios, buen señor,
bivas de Néstor los años *
sin saber qué sea dolor.
Publíquese tu loor
entre los pueblos straños.
Los daños de senetud
y su cansa[n]cio te huya.
Tórnete la joventud
con más perfeta virtud
que cuando más era tuya.

El viejo:

Falsa cara d'alacrán,
cierto daño que atormenta,
ya sé bien cómo se dan
las zarazas en el pan
por qu'el gusto no las sienta.
Estas bendiciones tantas
no las quiero —¿claro hablo?—
porque con ellas encantas,
como quien con cosas santas
quiere invocar al diablo.

No te cale roncearme,
que soy viejo acuchillado,
que tú querrías remoçarme
para tornar a mancarme.
El camino traes errado,
porqu'[es] la pasión tan fiera
que causas, que quiero más
bevir en esta manera
que debaxo tu bandera
la mejor vida que das.

El Amor:

Pues que me diste licencia
para entrar donde te veo,
con algo más de paciencia
te plaga prestarme audiencia
por que sepas mi deseo.
Soy venido a consolarte
por mostrarte mi afición,
no con gana de enojarte,
ma[s] porque sentí quexarte
del mundo no sin razón.

Y agora, según parece,
sin justa causa movido,
tu furor se ensobervece
contra quien no lo merece,
poniendo el mundo en olvido.
Quiero estar contigo a cuenta,
si te plazerá escucharme.

El viejo:

Desde allá haz que te sienta,
que tu aliento m'escalienta
tanto que temo abrusarme.

El Amor:

Soy contento, pues te plaze.
Quiero en todo obedecerte,
pero, si no te desplaze,
dime ¿qué causa te haze
ultrajarme de tal suerte?

El viejo:

¿Quieres que claro lo diga?

El Amor:

Dilo sin ningún recelo.

El viejo:

No me muestres enemiga
por ningún mal que te diga
mostrando tu desconsuelo.

El Amor:

Stando quedas las manos,
poco temo de la lengua.

El viejo:

¡O cárcel de los humanos,
ya muestras por dichos llanos
no stimar honra ni mengua!
Tú te abaxas, tú te enxalças,
tú te alteras y te mudas,
tú con presunçiones altas
piensas encobrir tus faltas
y déxaslas más desnudas.

Eres un fuego ascondido
que las entrañas abrasa.
Eres tan entremetido
que sin ser más conocido,
te hazes señor de casa.
Eres sabroso venino,
ámago dulce y suave,
fiebre, frío de contino,
piloto que sin más tino
lleva do quiere la nave.

Es tu pena tanto fuerte
que cualquier otra se olvida.
Atormentas de tal suerte
que, siendo quien es la muerte,
la hazes tomar por vida.
Es tu reino una galea
do bive tan tristemente
quien más servirte desea,
que no hay onbre que lo crea,
sino el triste que lo siente.

Allí son los coraçones
galeotes de por fuerça;
reman con las afiçiones.
Hiéreslos con las pasiones
por poco qu'el remo tuerça.
Lo que desechan los ojos
es lo que la boca gusta.
Cuitas, mudanças, antojos,
sospiros, celos y enojos
son la xarcia d'esta fusta.

No hablo como enemigo,
no con cautelas y artes.
De todo cuanto aquí digo
tu presencia es buen testigo.
Si se notan bien tus partes,
siendo moço, pobre y ciego,
¿qu'es lo que de ti s'espera?
El bolar es tu sosiego;
llamas son de bivo fuego
lo que está en tu linjavera.

De los tuyos más de dos,
por colorar tu locura,
te pusieron nonbre dios,

mas lo cierto es qu'entre nos
eres mortal desventura,
que si fuesses quien te llamas,
dexarías de ser quien eres.
La leña para tus llamas
no serían vidas ni famas
de quien sigue tus plazeres.

Así qu'es la conclusión
que diré, aunque te enojes,
que, pues mata tu pasión,
o mudes la condición
o del nonbre te despojes.

El Amor:

Y ¿tan presto has acabado?

El viejo:

No hay acabo en tu tormento.

El Amor:

¿Pues?

El viejo:

Déxolo de cansado.

El Amor:

¡Después que m'has deshonrado
te falta, viejo, el aliento!

No pienses con tus furores
quitarme d'esta contienda,
mas lo que me da dolores
que entre tantos amadores
no hay uno que me defienda,
no hay quien responda. ¿A quién digo?
Todos abaxáis las cejas.
Sólo Dios me sea testigo
que a quien fuere más mi amigo
cer[r]aré más las orejas.

Con lágrimas y gemidos
en vuestras necessidades
suplicáis ser socorridos,
mas ciérranse los oídos
para mis adversidades.

El viejo:

¿Quién ha de tornar por ti,
siendo tirano tan duro?

El Amor:

¡A! ¿Quién? Cuantos están aquí.

El viejo:

¿Y en ésos pones a mí?

El Amor:

El primero.

El viejo:

¡A! Yo lo dudo.

El Amor:

No du[d]arás cuando vieres
los bienes que en mí s'encier[r]an.

El viejo:

¡Ha ha ha!

El Amor:

Oye, si quieres,
y verás que mis plazeres
vuestros pesares destie[r]ran.

El viejo:

Cata, que a mucho te obligas.

El Amor:

¿Qué dirás, si lo hago cierto?

El viejo:

Que, por mucho que me digas,
son tus obras enemigas
de plazer y de concierto.

El Amor:

Aora escucha, por que veas
cómo bives engañado.

El viejo:

¿Engañado? ¡No lo creas!

El Amor:

No me turbes, si deseas
ser d'ello certificado.
Comiença del alto polo
hasta el centro del infierno,
y verás cómo yo solo
a Jove, Pluto y Apolo
mando, rebuelvo y govierno.

D'éstos particularmente
es mi enemiga contarte.
Bástete qu'el más potente
he fecho ser más obediente
más por fuerça que por arte.
Las aves libres del cielo
a mi mando son sujetas.
Los peces andan en celo
y sienten debaxo el yelo
las llamas de mis saetas.

A los animales torno
fieros, que con mi centella
de mansedumbre los orno.
Es testigo el unicornio, *
qu'él se humilla a la donzella.
Las plantas inanimadas
tanpoco se me defienden;
con tal fuerça están ligadas,
que si no están aparejadas,
hay alguna[s] que no prenden.

De los onbres y mujeres,
pues eres tú d'este cuento,
si confesarlo quisieres,
bien dirás que mis plazeres
sigue quien ha sentimiento.

Y tanbién por esperiencia
deves tener conocido,
que si alguno a mi potencia
quiere hazer resistencia,
aquél queda más vencido.

Los que están en religión
y los qu'en el mundo biven,
de cualquiera condición,
con deseo y afición
en mí esperan y a mí sirven.
Así que bien me conviene
este nonbre «dios de amor»,
pues, si el mundo plazer tiene,
yo lo causo y de mí viene,
y sin mí todo es dolor.

Si no, dime sin pasiones,
—ya acabo, no te alborotes—
¿quién haze las invinciones,
las músicas y canciones,
los donaires y los motes,
las demandas y respuestas
y las sontuosas salas?
¿Las personas bien dispuestas,
las justas y ricas fiestas,
las bordaduras y galas?

¿Quién los suaves olores,
los perfumes, los azeites?
Y ¿quién los dulces sabores,
las agradables colores,
los delicados afeites?
¿Quién las finas alconzilla[s]
y las aguas estiladas?
¿Quién las mudas y cerillas?

¿Quién encubre las manzillas
en los gestos asentadas?

Las fuerças de mis efetos
los defetos naturales
tornan en actos perfetos.
Hazen de torpes discretos
y de avaros liberales;
los covardes esforçados,
los sobervios muy umanos,
los glotones temperado[s],
los inetos provechados
y plazibles los tiranos.

En los viejos encogidos
resucito la virtud;
tornan limpios y polidos,
y en plazeres detenidos
les conservo la salud.
Causo provechos sin cuento,
que dezirlos sería afrenta.

El viejo:

Verdad es, mas el tormento,
que traspasa el sentimiento,
¿no se escribe en esta cuenta?

Creo que havías olvidado
que hablas con quien t'entiende.
¿No sabes que yo he provado
qu'es azívar confitado
lo qu'en tu tienda se vende?
O no alcança mi saber,
o tú alabas gloria ajena,
pues en la tuya, a mi ver,
no hay momento de plazer
que no cueste más de pena.

El Amor:

Nunca mucho costó poco
ni jamás lo bueno es caro.
Mira bien lo que te toco,
qu'es sentencia, y no de loco,
ser preciado lo qu'es raro.
Todas las cosas criadas
tienen esta condición:
que, fácilmente alcançadas,
fácilmente son dexadas
sin mirar más lo que son.

De la cosa más conpuesta
si el precio quieres saber,
verás conforme respuesta:
tanto vale cuanto cuesta,
sea cualquiera su valer.
Pues, siendo cual es mi gloria,
por que no venga en olvido,
no es justo que haya memoria
el que consigue vitoria
del mal por ella çofrido.

¿Has visto los que conbaten?
Si veen ganancia al ojo,
no temen que los maltraten
y cor[r]en donde los maten
por codicia del despojo.
D'aquesta misma manera
es quien sigue mi querer,
porqu'el fin qu'en mí s'espera
es tan dulce, que quienquiera
ha el trabajo por plazer.

El viejo:

Puede ser que en tantos días
hayas mudado costunbre,
mas, cuando tú me regías,
yo sé bien que ser solías
una amarga servidumbre.

El Amor:

Hallarás gran diferencia
de lo d'estonces [a] agora,
y verás por esperiencia.
De gratitud y clemencia
mi condición se decora.

El viejo:

Pues si, como dizes, eres
y tus obras son tan fieles,
es[e] arco con que hieres,
dime, ¿para qué lo quieres?

El Amor:

Sólo para los rebeles.

El viejo:

Y a los que leales fueren,
¿qué galardones les dan?

El Amor:

Queridos como querrán
serán, y mientra bivieren
no sabrán qué sea pesar.

El viejo:

En el prometer, sin rienda
he visto siempre tu lengua.

El Amor:

¿Quieres d'esto alguna pren[da]?

El viejo:

Que al partir de la hazienda
no reciba daño y mengua.

El Amor:

Yo sé bien lo que prometo,
y sé que podré gardarlo.

El viejo:

¡Mira que ande el juego neto!

El Amor:

Si quieres ser mi sujeto,
començarás a provarlo.

El viejo:

Temo de tu sujeción
porque ya fui en un tiempo tuyo,
y sé cuán contra razón
va la ley de tu pasión.
Mas ni por eso la huyo,
que aunque tu ley enemiga

de sosiego y de alegría
es tan natural y antigua
qu'es por fuerça que se siga,
sí por as, si no por tría. *

El Amor:

¿Luego ya quieres seguirme?

El viejo:

No sé si diga de sí.

El Amor:

¿Qué temes?

El viejo:

Que no eres firme.

El Amor:

¿Con qué quieres que confirme
la promesa que te di?

El viejo:

Con la obra.

El Amor:

Só contento.
Déxame poner la mano
do tengo hazer asiento,
y veráste en un memento
derecho, fresco, loçano.

El viejo:

Dime primero en qué parte.

El Amor:

Aquí sobr'el coraçón.

El viejo:

He miedo. ¿O andas con arte?
Porque siempre oí loarte
por un famoso ladrón.
Y aún diré, si no t'ensañas,
que te conparan al rayo,
porque con sotiles mañas
nos arrancas las entrañas
sin horadarnos el sayo.
Pues si me quieres tocar
para sin vida dexarme
so color de me sanar,
más me quiero enfermo star
que no acabar de matarme.

El Amor:

Demasiadas porfías
usas en esta contienda.
Proprio es d'onbre de tus días,
y pues de mí no te fías,
busca quien menos te ofenda.

El viejo:

¡Cómo! Y ¿juzgas a locura
si el que espera acometer

sus bienes a la ventura,
con diligencia procura
lo que puede suceder?

El Amor:

¡No más di! No es escusado,
y aún señal de onbre ingrato:
siendo ya certificado
del bien qu'está aparejado,
busca cinco pies al gato.

El viejo:

Ya t'entiendo, bien te veo;
mi dolencia es tu salud.
Satisfaz a tu deseo,
que hazer cunple, según creo,
de necesidat virtud.
Por la mano do dexiste,
toma posesión entera
d'esta casa que elegiste.

El Amor:

Dime, ¿agora qué sentiste?

El viejo:

Una llaga dulce y fiera,
pena cierta incorregida,
un sabor que al gusto plaze
con que salud se olvida,
un morir que ha nonbre vida,
deseo que me desplaze.
El plazer que agora siento
veesle aquí luego de mano.

El Amor:

¡Bive alegre! ¡Está contento!,
que si el principio es tormento,
medio y fin te será llano.

El viejo:

Ya te he hecho sacrificio
de mi antigua libertad;
mi deseo es tu servicio.
Cuanto al dar del beneficio,
cúnplase tu voluntat.

El Amor:

Endreça tu persona,
conpón tu cabello y gesto,
tus vestiduras adorna,
que, aunque joventud no torna,
plaze el viejo bien dispuesto.

El viejo:

Ya qu'estoy ataviado,
dime ¿qué quieres hazer?

El Amor:

Quiero t'hazer namorado
y el más bienaventurado
que jamás pensaste ser.

El viejo:

Querría que me mirases
todo, todo en derredor,
y si hay mal, que le emendases.

El Amor:

Si cincuenta años dexases,
no podrías estar mejor.
    Mas tal es mi propredat
que, doquiera que yo llego,
no hay respeto a autoridad,
a linaje, ni a edad.
Por eso me pintan ciego.

El viejo:

Hora, pues ¿cuándo querrás
meterme en esta conquista?

El Amor:

Buelve el ojo aquí detrás,
que soy cierto que verás
cosa jamás por ti vista.
    Mas no te mudes ni alteres,
qu'es cosa d'onbre indiscreto.

[El viejo:]

¡Di pues!

[El Amor:]

Por servir la[s] mujeres
cuando con ella fueres,
que te acete por sujeto.

El viejo:

Y tú, ¿no estarás comigo?

El Amor:

No.

El viejo:

¿Por qué?

El Amor:

Porque yo quiero
que tengas solo contigo
el secreto, buen testigo
del amor qu'es verdadero.

Mas aquí, tras esta puerta
estaré, donde te sienta
con oreja bien dispuesta.
Tú, después d'hecha tu oferta,
con ser suyo te contenta.
¡Oye, oye, antes que vayas!
Por evitar desconcierto
cata que, por mal que hayas,
nunca muestres que desmayas
de ser suyo, bivo y muerto.

El viejo [a la hermosa:]

O divinal hermosura,
ante quien el mundo es feo,
imagen cuya pintura
pintó Dios a su figura,
¡yo te veo, y no lo creo!
Tales dos contrarios siento
en contenplar tu ecelencia,
qu'entre plazer y tormento,
detenido el sentimiento,
no conozco tu presencia.

Descanso de mi memoria,
de mi cuidado consuelo,
de mis plazeres historia,
causa de toda mi gloria,
señora de mí en el suelo,
suplícote, pues mi suerte,
por hazer mi pena cierta,
puso en ti mi vida y muerte,
que tu virtud desconcierta
lo qu'en mí más se concierta.
Consienta tu merecer,
no por ruego conpelida,
mas por sólo tu valer,
que te sirva mi querer
mientra durare esta vida.
Y si me culpas porque
en pedir merced excedo,
razón tienes, bien lo sé,
mas tu virtud y mi fe
me ponen nuevo denuedo.

[La hermosa:]

¡O años mal enpleados!
¡O vegez mal conocida!
¡O pensamientos dañados!
¡O deseos mal hallados!
¡O vergüença bien perdida!
Vivo en seso, viejo; en días
que t'espera el cementerio,
déxate d'estas porfías,
pues con más razón debrías
meterte en un monesterio.
¡Mira, mira tu cabeça,
pues, un recuesto nevado!
Mírate pieça por pieça,

y si el juzgar no entropieça,
hallarte has enbalsamado.
¿No vees la frente ar[r]ugada
y los ojos a la sonbra?
¿La mexilla descarnada,
la nariz luenga, afilada,
y la boca que me asonbra?
Y esos dientes car[c]omidos
que ya no puedes moverlos,
con los labrios bien fronzidos
y los onbros tan salidos,
¿a quién no espanta en verlos?
Y este caduco cimiento,
do fuerça ninguna mora,
¿no te trae al pensamiento
que devieras ser contento
con tener de vida un ora?
¡O viejo desconcertado!
¿No ves qu'es cosa escusada
presumir de enamorado,
pues cuando estás más penado
te viene el dolor de hijada?
Torna, torna en tu sentido,
que canças ya de viejo,
y este mal sobrevenido
podrás poner en olvido
siguiendo mejor consejo.

El viejo:

Pues que tu beldad me daña,
tu piedat, señora, invoco.
¡Cese contra mí tu saña,
no te muestres tan estraña!

La hermosa:

¡Tírate allá, viejo loco!

El viejo:

¡A! ¿No sabes que soy tuyo?

La hermosa:

Mío no, mas de la tierra.

El viejo:

Tuyo, digo, y no te huyo.

La hermosa:

Presto verás qu'eres suyo,
si mi juizio no yerra.
¡No toques, viejo, mis paños!
¡Déxame, qu'estoy nojada!
Que si estovieses mil años
quexando siempre tus daños,
nunca me verías mudada.

El viejo:

Yo tengo mi merecido,
y es en mí bien enpleado,
pues, estando ya guarido,
quise tornar al ruido
do m'havían descalabrado.

Este es pago verdadero
que suelen haver los tristes,
sometido[s] [a] aquel fiero,

crudo, falso, lisonjero,
ciego y pobre que aquí vistes.
Aquel que, por engañarme,
usó tan diverso [s] modos
que, si [n] poder remediarme,
fue forçado sojuzgarme
como havéis visto aquí todos.

Cuyas promesas juradas,
causa de mi perdimiento,
muy más presto son mudad [as]
que las hojas meneadas
cuando corre rez [i] o viento.
Bien estava en mi sentir
cua [n] do no quería abrir,
au [n] que viejo porfiado.
Mas, ¿quién puede resistir
al furor de aquel malvado

que, conpuesto en falso afeite
no entra sin enbaraço?
y así cunde su deleite
que, como mancha de azeite,
no sale sin el pedaço.
Y pues vedes cómo abrasa,
huid de su conpañía,
que, una vez entra en casa,
no se amortigua su brasa
hasta dexalla vazía.

Huid de sus ciertos enojos,
apartaos de sus desdenes,
pues delante vuestros ojos
havéis visto los abrojos
que se cojen con sus bienes.
Castiga en cabeça ajena,

pues mi tormento os amuestra
a salir d'esta cadena,
y si n'os duele mi pena,
esperá y veréis la vuestra.

[VI] LLANCICO

Quien de amor más se confía
menos tenga d'esperança,
pues su fe toda es mudança.

No deven ser estimadas
sus promessas infinitas,
que en el agua son escritas
y con el viento selladas.
Fácilmente son tratadas
y el bivir queda en balança.

Es su gloria más entera
engañar nuestro apetito
y, so falso sobrescrito,
ponen pena verdadera,
porqu'e[s] necessario muera
quien de su fe más alcança.

Su engañosa condición
en ausencia da denuedo,
y en presencia pone miedo
por que cresca la pasión.
Su más cierto galardón
es perder la confiança.

Muy mayor es el cuidado
qu'el plazer que da su gloria,
pues descansa la memoria

cuando piensa en el pasado,
como quien de mar turbado
se siente puesto en balança.

Pues vemo[s] cómo ofende
su gloria cuando es más llena,
huyamos d'esta serena
que con el canto nos prende;
cuyo engaño, si se enciende,
poco a poco ha tal pujança
que nos trae en malandança,
pues su fe toda es mudança.

GLOSARIO

abrusar: abrasar.
acenso: incienso.
acetar: aceptar.
acometer: proponer, encargar, encomendar.
acordar: poner de acuerdo.
açotes: látigo.
acuchillado: escarmentado.
ad: a.
afeites: cosméticos.
afinado: muerto.
aflicto: afligido.
aína: presto.
ál: otra cosa.
alá: allá.
alconzilla (alconcilla): afeite para el rostro.
alegrarte has: te alegrarás.
alguandre: jamás.
ámago (hámago): sustancia de sabor amargo que labran las abejas.
amaro: amargo.
ánima: alma.
ansí: así.
aora: ahora.
aoralo he: lo adoraré.
aorar: adorar.
aparejar: preparar.
apellidos: gritos.
aquexar (aquejar): estimular, impeler.
aquese: ese.
aquesta: esta.
aquest/aqueste: este.

aquesto: esto.
asaz: bastante, mucho.
ascondido: escondido.
astelo: columna.
ata: hasta.
atal: tal.
atán: tan.
avatillo: abatirlo.
azívar (acíbar): áloe.

beato: feliz.
bendicho: bendito.
benino: benigno.
bine: bien.
bolverse ha: se volverá.
bono: bueno.
buscalle: buscarle.

ca: porque.
caede (caed): derribad, echad en el suelo.
çaga: zaga; *a çaga:* para atrás.
calar: bajar.
caler: importar, convenir.
captivo: infeliz, desdichado.
cas: casa.
castigar: advertir, prevenir, enseñar.
catar: ver, examinar.
celar: ocultar.
celestrial: celestial.
celo: cielo.
cerilla: masilla de cera usada para afeites.
certas: ciertamente.
cilo: cielo.
clamar: llamar.
colorar: hacer que algo presente un aspecto diferente del que debe tener.
colupna: columna.
cometer: emprender, intentar.
conpaña: compañía.
conpuesto: adornado, ataviado, engalanado.
contalles: contarles.
continente, de: en seguida.
contino, de: siempre, continuamente.
crecido: importante.
cruçificallo: crucificarlo.

crudo: cruel, despiadado.
cudo: creo.
cueita: cuita.
cuento: millón; *sin cuento:* sin número.
cuitar: acuitar, afligir.
cumo: como.
curiar: guardar.
çurrón (zurrón): bolsa grande de pellejo.

da: de a.
dalde: dadle.
daredes: daréis.
dároslo ía: os lo daría.
december: diciembre.
decides: decís.
declarar: manifestar el ánimo, la intención.
dedes: deis.
demudar: desfigurar.
dende: de allí, desde allí.
denuedo: brío, valor.
denunciación: anunciación.
denunciar: anunciar.
departir: enseñar, explicar.
derredor, en: alrededor.
desconocido: ingrato.
desmanparado: desamparado.
desque: desde que.
devantarse: levantarse.
deviés: debías.
dexalla: dejarla.
dexiste: dijiste.
dexistes: dijisteis.
dezillo: decirlo.
dezi(me): decid(me).
dezirm' han: me dirán.
dino: digno.
diz(e)remos: diremos.
do: donde, de donde.
dond: de donde.
dubdar: dudar.
dudedes: dudéis.

echalde: echadle.
elos: ellos.

ell: el.
enartar: engañar.
encenso: incienso.
ende, por: por tanto.
endrezar: aderezar, preparar.
enemiga: enemistad, odio; maldad, vileza.
ensinias: insignias.
entendes: entiendes.
entramos (entrambos): ambos.
entropezar: tropezar.
enxalzar: ensalzar.
erar: errar.
escalentar: calentar.
escarno: escarnio, burla.
escuro: oscuro.
escusado (excusado): superfluo.
esecutar: ejecutar.
espacio, de: despacio, con calma, por extenso.
esquivo: áspero.
estilado: destilado.
estrela: estrella.
estudiere: estuviere.

facedor: hacedor.
facinda: cosa.
falar: hallar.
falsía: falsedad, deslealtad.
fallaredes: hallaréis.
fasta: hasta.
faz: rostro, cara.
faz: haz (imperativo).
fazedero: hacedero.
fazer: hacer.
fechores, malos: malhechores.
fembra: hembra.
fenesçer: acabar.
fezía: hacía.
figo: higo.
fijo: hijo.
finojos: rodillas.
foradar: horadar.
fu: fue.
fue: fui.
fuésedes: fueseis.

fure: fuere.
fusta: buque ligero de remos.
fustes: fuisteis.

gafedad: lepra.
galea: galera.
gardar: guardar.
ge: se.
gramatgo: gramático, el entendido en gramática, erudito.
guiarés: guiaréis.

ha: tiene; *ha muchos años:* hace muchos años.
halda: falda.
hallarés: hallaréis.
hata: hasta.
havedes: habéis.
haverá: habrá.
havrés: habréis.
hazés: hacéis.
he: tengo.
henos venidos: aquí estamos.
heziste: hiciste.
homne: hombre.
hora: ahora.
hovieron: hubieron.
hoviese: hubiese.
hoviste: hubiste.
humiliar: humillar.

ides: vais.
imos: vamos.
in: en.
incorregido: sin disminuir.
inviar: enviar.
invinciones (invenciones): divisas caballerescas.
Irrael: Israel.

Josepe: José.
Jove: Júpiter.
jugar: juzgar.

labrios: labios.
lacio: marchito.
levar: llevar.
lexo: lejos.

ley: fe, religión.
librar: hacer que uno consiga o logre una cosa.
linjavera: carcaj, aljaba.
longo: largo.
luciferales: infernales.
luengo: largo.

mais: más.
mancar: faltar.
manzilla (mancilla): mancha oscura en el cuerpo.
maña: astucia.
maravila: maravilla, milagro.
mayordoma: mayordomo.
memento: oración del canon de la misa; *en un memento:* en un instante.
menester, haber: necesitar.
meos: míos.
mesclar (mezclar): enredar, poner división entre las personas.
mesmo: mismo.
mientra: mientras.
mill: mil.
mira: mirra.
mirallos ha: los mirará.
morto: muerto.
mos: míos.
motes: sentencias breves que llevaban como empresas los caballeros en las justas y torneos.
muda: afeite para el rostro.
muestro: nuestro.
muncho: mucho.

namorado: enamorado.
nocte: noche.
nojado: enojado.
nostro: nuestro.
numcas: nunca, jamás.
nuncas: nunca.

ó: donde, en donde.
ofrescerle he: le ofreceré.
ofreçremos: ofreceremos.
omilmente: humildemente.
omne: hombre.

onbre: hombre.
ora: hora.
otrosí: también.

pace: paz.
par: por.
paz, dar: saludarle a uno besándole en el rostro.
perdella: perderla.
plaga: plazca.
plagado: llagado.
planto: llanto.
plasaría: placería.
plega: plazca.
porná(n): pondrá(n).
pregar: rezar.
presebre: pesebre.
presente, de: ahora.
prez: galardón, honra.
priado: pronto, presto.
primas: por la primera vez.
prohiar: porfiar, insistir.
provechado: aprovechado.
pudet: puede.
pus: pues.
pusto: puesto.

quedo: quieto.
querá: querrá.
querades: queráis.
queredes: queréis.
quexo: queja.
qui: quien.
quin: quien.
quiro: quiero.
quisierdes: quisiéredes.
quitado: libertado, libre, exento.

rebeles: rebeldes.
rees: reyes.
resuçistar: resucitar.
retórico: maestro de retórica.
riyendo: riendo.
rogarlo he: lo rogaré.
roncear: halagar.

ruçíos: rocíos.
ruido: pendencia, pleito, alboroto, discordia.

sabedes: sabéis.
sabelo: saberlo.
sastifacer: satisfacer.
sayo: prenda de vestir hueca, larga y sin botones que cubría el cuerpo hasta la rodilla.
sayón: verdugo.
scrivanos: escribanos.
seclo: mundo.
secutar: poner por obra, ejecutar.
seeía (seía): estaba.
seer: ser.
seglo: mundo.
semejar: parecer.
senior: señor.
sennal: señal.
serena: sirena, ninfa marina.
sey: sé (imperativo de *ser*).
sí: así.
sines: sin.
sinrazón, a: injustamente.
so: bajo, debajo de.
só: soy.
sobejo: excesivo, extremado.
sobir: subir.
sodes: sois.
sofrillo: sufrirlo.
solíades: solíais.
solién: solían.
star: estar.
stimar: estimar.
straños: extranjeros.
strela: estrella.
strelero: estrellero, astrólogo.

tamaño: tan grande, muy grande.
temençia: miedo, temor.
tenés: tenéis.
ternás: tendrás.
terné: tendré.
terra: tierra.

timpo: tiempo.
tine: tiene.
tirra: tierra.
tornar por: apoyar, defender.
tornárseme ía: se me tornaría.
traedes: traéis.
transir: pasar.
travajá: trabajad.
través: desgracia, infeliz suceso.
traya(n): traiga(n).
trayo: traigo.
tredze: trece.
trubada: encontrada.

usar: tratar.

val: vale (imperativo).
vayades: vayáis.
vedes: veis.
veen: ven.
veerlo he: lo veré.
vees: ves.
vegada: vez.
veída: vista.
venides: venís.
venino: veneno.
ver, por: por decir verdad.
veredes: veréis.
verés: veréis.
vernedes: vendréis.
vero, de: de veras.
verrés: veréis.
veyer: ver.
vicaria: segunda superiora en algunos conventos de monjas.
vido: vio.
vierdes: viéredes.
vinet: viene.
virtud: fuerza, vigor.
vita: vida.
vo: voy.
vostro: vuestro.

xarcia: jarcia.

y: allí; *¿Cuánto ý ha?:* ¿Cuánto hace?
yerva: hierba.
zarazas: veneno empleado para matar perros, gatos y ratones.

NOTAS EXPLICATIVAS Y TEXTUALES

AUTO DE LOS REYES MAGOS

(55) *çaga:* Se lee *caga* en el manuscrito.

(56) *Hamihalá:* Algunos han querido ver en esta palabra el nombre del primer rabí. Otros la han interpretado como la deformación de la interjección árabe *hamiy Allah* («Dios es mi protector»). Véase William J. ENTWISTLE, «Old Spanish 'Hamihala'», *Modern Language Review,* XX (1925), pp. 465-466. Se ha argüido que es poco verosímil que un rabí apele en árabe a Alá, pero se recordará que el árabe era la lengua de cultura de los judíos españoles en la Edad Media. *Alá* quiere decir «Dios», y la palabra no se refiere necesariamente al Dios de los musulmanes.

REPRESENTAÇIÓN DEL NASÇIMIENTO DE NUESTRO SEÑOR

(59) *mi ánima engrandeçe:* Paráfrasis del Magnificat (Lucas, 1, 46-47).

LAMENTACIONES FECHAS PARA LA SEMANA SANTA

(67) *templo rompido:* Alusión al evangelio de San Mateo, 27, 51.

(67) *Yo soy aquel que dormí:* Se solía identificar a San Juan como el discípulo que estaba recostado en el seno de Jesús durante la Cena (Juan, 13, 23). La piadosa tradición según la cual San Juan se durmió

y tuvo ciertas visiones en las que se le reveló la sabiduría divina no aparece en los evangelios canónicos, pero sí se puede encontrar, por ejemplo, en la *Vita Christi* de Ludolfo de Sajonia (s. XIV).

(69) *Qué nuevas:* El manuscrito pone *que me vas.* La corrección es de Paz y Melia.

AUTO DE LA PASIÓN

(73) *las ensinias de la Pasión:* La intervención del ángel es una amplificación del evangelio de San Lucas, 22, 43: «Apparuit autem illi angelus de caelo confortans eum.» Las primeras editoras de la obra apuntan que la exposición de los instrumentos de la Pasión como elemento de la oración en el huerto era motivo frecuente en la pintura y la poesía contemporáneas (*Teatro en Toledo,* p. 125).

(76) *el pecado de dos:* Se trata, desde luego, de Adán y Eva.

(76) *de traidores:* En el manuscrito se lee *en traidores.*

(81) *corté a Marco la oreja:* En el relato evangélico de San Juan, 18, 10, el criado del Pontífice se llama Malchus.

(85) *puso juzgado:* La edición de Torroja Menéndez y Rivas Palá (p. 173) pone «suso juzgado», pero la frase tiene más sentido con la enmendación «puso juzgado».

(86) *Pilatos, [con] gran temençia:* Es evidente que le faltaba algo a la frase. Por lo tanto, se ha añadido la preposición *con.*

(88) *parrero:* Así en el manuscrito. Tal vez haya que leer *perrero* (engañoso) o *parlero.*

(89) *rezado:* Las primeras editoras del *Auto* se preguntaban: «¿puede esto indicar que se cantaran algunas partes del auto en contraposición a otras 'rezadas' o recitadas?» (*Teatro en Toledo,* p. 177). Las mismas observan que el *Auto de la Ascensión,* una de las obras escenificadas para la fiesta del Corpus en Toledo, se cantaba en vez de recitarse (p. 61). El teatro litúrgico en latín solía cantarse, pero normalmente en las representaciones vernáculas la música hacía sólo un papel incidental. Sin embargo, en la Cataluña medieval era frecuente que las obras dramáticas vernáculas se cantaran parcial o totalmente.

(93) *Angel, tú que me mandaste:* Aquí comienza a cantar San José un villancico.
(94) *guíanos con el chiquito:* Aquí termina el villancico.
(104) *Romerico, tú que vienes:* Aquí comienza a cantar San Juan un villancico.
(105) *adoraste al infinito:* Se refiere, desde luego, al célebre episodio de la Visitación en el que al oír Santa Isabel la salutación de la Virgen, San Juan Bautista dio saltos en su vientre (Lucas, 1, 41).
(105) *hasta que El venga de allá:* Aquí termina el villancico.
(105) *no nasçiera otro mayor:* Cf. Mateo, 11, 11: «Amen, dico vobis, non surrexit inter natos mulierum maior Ioanne Baptista.»
(106) *que aparejes su carrera:* Aquí se recuerda la célebre profecía de Isaías, 40, 3 («Vox clamantis in deserto: Parate viam Domini»), que vieron cumplida los evangelistas en la predicación de San Juan Bautista (Mateo, 3, 3; Marco, 1, 3; y Lucas, 3, 4).

DIÁLOGO DEL VIEJO, EL AMOR Y LA HERMOSA

(113) *los de Egito:* Son los gitanos, pues se creía que procedían de Egipto.
(115) *bivas de Néstor los años:* Era Néstor el más viejo de los príncipes griegos que intervinieron en la guerra de Troya.
(122) *el unicornio:* Según los bestiarios medievales, el fiero unicornio se pone manso al ver a una virgen, momento en que los cazadores lo pueden atrapar o matar. Así, amansado por los razonamientos de su interlocutor, el viejo será la víctima fatal del amor.
(128) *sí por as, si no por tría: Tría* parece ser italianismo equivalente a *tres.* La frase se refiere al juego de los naipes.

CRONOLOGIA

	Historia del teatro	Acontecimientos culturales	Acontecimientos históricos
ca. 1150	*Auto de los Reyes Magos.*		
1146			Invasión de los almohades.
1158			Fundación de la Orden Militar de Calatrava.
1170			Fundación de la Orden Militar de Santiago.
1177			Bula de confirmación de la Orden Militar de Alcántara.
ca. 1201- *ca.* 1207		Fecha probable del texto existente del *Poema de Mio Cid.*	
1204		Posible fecha del *Libro de Alexandre.*	

ca. 1205	*Razón de amor.*	
ca. 1210	Fundación de la Universidad de Palencia.	
1212		Batalla de las Navas de Tolosa.
ca. 1215	*Vida de Santa María Egipcíaca.*	
1218	Fundación de la Universidad de Salamanca.	
1230		Unión definitiva de León y Castilla.
ca. 1230	*Vida de San Millán* de Gonzalo de Berceo.	
1236		Conquista de Córdoba por Fernando III.
ca. 1236	*Vida de Santo Domingo* de Gonzalo de Berceo.	
1248		Conquista de Sevilla.
ca. 1250	*Poema de Fernán González.*	

	Historia del teatro	Acontecimientos culturales	Acontecimientos históricos
1251		*Calila e Digna.*	
1252			Alfonso X, rey de Castilla (1252-1284).
1253		*El libro de los engaños.*	
1256/1265		Composición de las *Siete Partidas* de Alfonso X.	
ca. 1270		Se empieza a componer la *Primera crónica general.*	
ca. 1279		Versión definitiva de las *Cantigas de Santa María.*	
ca. 1280		*Elena y María.*	
1282		Nace Don Juan Manuel (1282-1348).	
1284			Muere Alfonso X.
1292		*Castigos e documentos.*	

ca. 1300		*Libro del cavallero Zifar; Disputa del alma y el cuerpo.*	
1326		*Libro del cavallero et del escudero* de Don Juan Manuel.	
1330		Primera redacción del *Libro de buen amor* de Juan Ruiz.	
1332			Nace el canciller Pero López de Ayala (1332-1407).
1335		*El conde Lucanor* de Don Juan Manuel.	
1340			Batalla del Salado.
1343		Segunda redacción del *Libro de buen amor.*	
1348		*Poema de Alfonso XI* de Rodrigo Yáñez.	La Peste Negra afecta a la Península.
1349		Sem Tob termina la primera redacción de sus *Proverbios morales.*	

	Historia del teatro	Acontecimientos culturales	Acontecimientos históricos
1350			Nace Pablo de Santa María (1350-1435).
1369			Pedro I muerto en Montiel. Los Trastamara comienzan a reinar en Castilla.
1384		Nace Alfonso de Cartagena (1384-1456); nace Enrique de Villena (1384-1434).	
1391			Motines antijudíos en diversas ciudades de la Península.
1398		Nace el Marqués de Santillana (1398-1458).	
ca. 1400	Fecha del manuscrito conservado en Córdoba que contiene una breve *Ordo sibillarum* en castellano.	Fecha aproximada del texto existente de las *Mocedades de Rodrigo*.	
1406			Juan II, rey de Castilla (1406-1454).

ca. 1410		*Libro de los gatos.*	
1411		Nace Juan de Mena (1411-1456).	
ca. 1412	Nace Gómez Manrique (*ca.* 1412-1490).		
1417		*Doze trabajos de Hércules* de Enrique de Villena.	
1418	Primera mención de una procesión para el Corpus en Toledo.		
1423		*Arte cisoria* y *Tratado de la consolación* de Enrique de Villena; nace Alfonso de Palencia (1423-1490).	
1428			Nace Hernando de Talavera (1428-1507).
1434			El Passo honroso de Suero de Quiñones.
1436		*Comedieta de Ponza* del Marqués de Santillana.	

	Historia del teatro	Acontecimientos culturales	Acontecimientos históricos
1438		*Corbacho* de Alfonso Martínez de Toledo.	
1444		Nace Antonio de Nebrija (1444-1522); *Laberinto de Fortuna* de Juan de Mena.	
1445			Batalla de Olmedo.
ca. 1445		*Cancionero de Baena.*	
1448		*Bías contra Fortuna* del Marqués de Santillana.	
ca. 1450		*Generaciones y semblanzas* de Fernán Pérez de Guzmán.	
1453	Se menciona el atavío especial que llevaba el mozo de coro que representaba a la sibila en la catedral de Toledo.		Muerte de Don Alvaro de Luna.

1454			Muere Juan II de Castilla; Enrique IV, rey.
1454-1457	Alfonso Martínez de Toledo se ocupa de la preparación de las principales fiestas de la catedral de Toledo.		
1461	Se representa una *Estoria de cuando los Reyes vinieron a adorar y dar sus presentes a Nuestro Señor Jesucristo* en el palacio del condestable Miguel Lucas de Iranzo en Jaén.		
1464	Se escenifica en la iglesia mayor de Jaén una *Estoria del nascimiento del Nuestro Señor e Salvador Jesucristo y de los pastores.*		
1465	Primera mención de «representaciones» para la fiesta del Corpus en Toledo.		
1468	Nace Juan del Encina (1468-1529).		Enrique IV reconoce por heredera a su hermana Isabel.

	Historia del teatro	Acontecimientos culturales	Acontecimientos históricos
1469			Isabel de Castilla se casa con Fernando de Aragón.
1470		Según Moratín, año en que se compuso el *Diálogo entre el amor y un viejo* de Rodrigo Cota.	
1474	Nace Lucas Fernández (1474-1542).		Muere Enrique IV; Isabel I, reina de Castilla.
1476/1481	Probable época de la *Representación* navideña de Gómez Manrique.		
1478			La Inquisición se establece en Castilla.
1479		Composición de las *Coplas por la muerte de su padre* de Jorge Manrique.	Fernando II (V de Castilla), rey de Aragón.
1481	Alonso del Campo se encarga de las representaciones para el Corpus en Toledo.	*Vencimiento del mundo* de Alonso Núñez de Toledo.	

1486/87		*Memorial de diversas hazañas* de Diego de Valera.	
1486/99	Probable época de la redacción del *Auto de la Pasión* de Alonso del Campo (m. 1499).		
1490		Se imprime el *Universal vocabulario en latín y romance* de Alfonso de Palencia.	
1491		Se publica *Arnalte e Lucenda* de Diego de San Pedro.	
1492		*Gramática castellana* de Nebrija; publicación de *Cárcel de amor* de Diego de San Pedro.	Rendición de Granada; expulsión de los judíos; descubrimiento de América.
ca. 1495		Se publican *Grisel y Mirabella* y *Grimalte y Gradissa* de Juan de Flores.	
1496		Publicación del *Cancionero* de Juan del Encina.	

	Historia del teatro	Acontecimientos culturales	Acontecimientos históricos
ca. 1497		*Repetición de amores* de Luis de Lucena.	
1499		Primera edición conocida de la *Celestina.*	
1504			Muerte de Isabel la Católica.
1508		Primera edición conocida de *Amadís de Gaula.*	
1511		*Cancionero general* de Hernando del Castillo.	

INDICE

ESTE LIBRO SE TERMINO DE IMPRIMIR
EN LOS TALLERES DE ARTES GRAFICAS BENZAL, S. A.,
VIRTUDES, 7, MADRID-3,
EN EL MES DE OCTUBRE DE 1983